RACHEL FONTAINE

GABRIELLE PROVENCHER, SUFFRAGETTE

ROMAN

D'après un texte original
de Lise Payette

Conception graphique de la couverture: Katherine Sapon
Illustration: Suzanne Duranceau
Photo de l'auteur: Les Paparazzi

Les Quinze, éditeur,
une division du groupe Sogides
955, rue Amherst, Montréal
H2L 3K4
Tél.: (514) 523-1182

Distributeur exclusif pour le Canada:
Agence de distribution populaire inc.,
une filiale du groupe Sogides
955, rue Amherst, Montréal
H2L 3K4
Tél.: (514) 523-1182

RACHEL FONTAINE

GABRIELLE PROVENCHER, SUFFRAGETTE

ROMAN

D'après un texte original
de Lise Payette

Quinze

Données de catalogage avant publication (Canada)

Fontaine, Rachel, 1946-

Gabrielle Provencher, suffragette

ISBN 2-89026-398-3

I. Payette, Lise, 1931- . II. Titre.

PS8561.0565G33 1990 C843'.54 C90-096286-0
PS9561.0565G33 1990
PQ3919.2.0565G33 1990

Dépôt légal: 1er trimestre 1990
Bibliothèque nationale du Québec
ISBN 2-89026-398-3

1

Le vent était vif en ce matin de février 1922 et Gabrielle dut retenir fermement sa cape et son chapeau. Ses mouvements étaient gênés par des paquets encombrants, de grands cartons qu'elle retenait de son mieux et qui se soulevaient sous la rafale. Malgré tout, elle se sentait joyeuse et marchait avec entrain. Comme elle luttait contre un coup de vent particulièrement tenace, elle fut prise d'une irrépressible envie de rire en imaginant son chapeau en train de planer au-dessus des lampadaires du square, de frôler les branches nues des érables et de pirouetter dans le ciel gris avant d'atterrir sans grâce sur le crâne enneigé d'une statue. Le vent devait contenir un grain de folie pour lui suggérer de pareilles images.

Elle tenta de se reprocher sa légèreté, mais la perspective de son premier voyage à Québec l'enthousiasmait. Et, bien qu'elle eût souhaité paraître sérieuse et distinguée comme ces belles voyageuses qu'elle croisait parfois le matin en se rendant au travail, elle ne put s'empêcher de manifester sa joie: elle se mit à courir dans la direction d'une paisible bande de pigeons qui s'envolèrent lourdement dans un tourbillon de plumes. Rue de la Gauchetière, avant de traverser, elle sourit à un enfant qui avait surpris son manège, évita de justesse une voiture de lait tirée par un vieux cheval, s'excusa en riant auprès du conducteur et se hâta vers la gare.

À l'intérieur, de nombreux groupes de femmes bavardaient devant les guichets. Gabrielle fut contente d'apercevoir Georgette Lemoyne et lui fit signe, le plus discrètement possible. Elle repéra deux ou trois visages déjà entrevus au local de la Fédération, salua mesdames Béique et Lyman, et se fraya un passage, timide et impressionnée, à travers cette foule élégante. C'était la première fois qu'une délégation se rendait à Québec pour manifester en faveur du suffrage des femmes et la fébrilité était grande parmi les militantes. On sentait une certaine impatience dans la foule; plusieurs femmes faisaient les cent pas en discutant. Mais elles n'eurent pas à attendre longtemps; peu avant neuf heures, elles furent invitées à monter dans un wagon spécialement réservé pour elles.

Georgette et Gabrielle s'assirent côte à côte et parlèrent des préparatifs de la veille. Elles avaient toutes deux travaillé tard, l'une pour achever les communiqués, l'autre pour fabriquer des pancartes. Contrairement à Georgette, Gabrielle n'était pas une collaboratrice assidue de la Fédération nationale Saint-Jean-Baptiste. Mais elle appréciait l'atmosphère laborieuse du bureau et s'y rendait fréquemment pour aider à la rédaction de *La Bonne Parole,* un modeste bulletin d'information. Elle essayait de donner un coup de main au meilleur de sa connaissance, se contentant parfois de recopier les articles de sa belle écriture appliquée.

Gabrielle éprouvait une grande admiration pour la présidente de la Fédération, Marie Gérin-Lajoie, Marie-Mère comme l'appelaient respectueusement ses collègues pour la distinguer de sa fille qui portait le même prénom. Cette intellectuelle qui s'était dévouée toute sa vie pour améliorer le statut légal des femmes était aussi une femme de cœur; en plus de rédiger un traité de droit usuel, en plus de diriger *La Bonne Parole* et de présider le Comité provincial du suffrage féminin, elle trouvait le temps de s'occuper d'œuvres charitables. C'était d'ailleurs grâce à une bonne parole de sa part — Gabrielle le lui avait fait remarquer en riant — que la jeune fille avait décroché un emploi de vendeuse dans une librairie de la rue Sainte-Catherine. Quand madame Gérin-Lajoie avait rencontré Gabrielle et appris que celle-ci avait perdu sa mère, elle l'avait plus ou moins prise sous sa protection. Depuis, elle lui prêtait des livres et des journaux, l'encourageait à parfaire son éducation et à se préoccuper de ses droits.

La bonne dame n'était toutefois pas du voyage, partie la veille pour Québec afin d'y rencontrer des membres du gouvernement. À l'heure où Gabrielle surveillait la grande horloge sur le quai, Marie-Mère avait rendez-vous avec Henry Miles, le député qui avait accepté de représenter la délégation auprès du premier ministre. Monsieur Miles comptait soumettre sous peu un projet de loi sur le vote des femmes. À l'Assemblée législative, il était l'un des rares à croire en la nécessité d'une telle réforme mais il ne désespérait pas de convaincre ses collègues et de faire tomber leurs préjugés.

La province de Québec était l'une des dernières à s'opposer au suffrage féminin. Toutes les Canadiennes avaient déjà eu le droit de voter, l'Acte constitutionnel de 1791 l'ayant conféré aux «personnes» remplissant un certain nombre de conditions. Il faut croire que ce terme n'excluait pas les femmes puisque celles-ci avaient pu voter jusqu'en 1849, année où on leur avait retiré ce privilège. Il avait fallu attendre jusqu'en 1918, peu de temps après la fin de la guerre, pour que les femmes puissent de nouveau se prévaloir de leur droit de voter au fédéral. Plusieurs provinces avaient suivi le mouvement et décidé de rétablir le suffrage des femmes, sauf le Québec qui s'obstinait à le refuser à ses citoyennes, refus dont Gabrielle ne comprenait pas les raisons. Pour elle, c'était une simple question de bon sens; les femmes devraient naturellement avoir les mêmes droits que les hommes.

Il y eut plusieurs secousses et de longs grincements avant que le train démarre et, quand elle tourna la tête, on avait déjà quitté la ville et laissé au loin le terne défilé des hangars. Elle ne quitta plus la fenêtre des yeux. Les grandes étendues de neige, les taches sombres des arbres, leurs troncs presque noirs en cette journée grise défilaient comme des photographies nettes et lisses. Elle aurait voulu conserver, ainsi que des images précieuses, le souvenir de ce qu'elle regardait et découvrait avec curiosité les petites gares affairées, les barrières où des groupes de passants s'arrêtaient pour saluer, avec de grands gestes du bras. Elle-même s'était souvent trouvée parmi les curieux qui se postaient le long des voies ferrées. Les trains avaient toujours l'air de s'en aller très loin, et en les voyant passer, elle imaginait qu'ils partaient pour quelque mystérieuse contrée dont ils ne reviendraient pas. Et même sans les voir, quand elle prêtait l'oreille au long sifflement sourd et profond qui annonçait leur passage, elle se sentait étrangement remuée et relevait la tête, rêveuse.

Et voilà qu'elle était aujourd'hui assise dans l'un de ces trains imposants, en route pour une ville inconnue, du côté des chanceux, du côté des privilégiés, installée bien au chaud comme pour un spectacle. Elle éprouvait une sorte de fierté à se savoir là; Gabrielle Provencher connaîtrait désormais la sensation unique d'être transportée de la sorte, immobile et pourtant en mouvement, glissant sans effort, emportée par cette machine puissante qui grinçait parfois à la manière d'un tramway mais qui pouvait aussi filer très vite et traverser villages et forêts en quelques minutes.

Son père l'avait prévenue: il y aurait de multiples arrêts, le trajet serait long, le paysage monotone finirait par la lasser.

Charles Provencher voulait mettre sa fille en garde contre les déceptions qui guettent les jeunes femmes trop enthousiastes. Dans le but de la protéger, il avait tendance à retenir Gabrielle quand elle manifestait trop d'emballement. Mais elle ne s'ennuya pas le moins du monde durant les cinq heures que dura le voyage; il y avait tous ces visages de femmes à explorer, toutes ces conversations à écouter.

La plupart des voyageuses étaient plus âgées qu'elle, plus élégantes aussi, et cela ne fit qu'accentuer sa fierté de faire partie de la délégation. Surtout quand l'une de ses voisines se pencha vers elle pour lui demander du feu. Qu'on puisse la croire suffisamment riche pour s'acheter des cigarettes lui fit plus de plaisir qu'un compliment. Elle s'excusa et en profita pour se présenter à cette dame élégante dont le manteau était garni d'un col de fourrure.

Gabrielle n'était pas timide; elle n'hésita pas à bavarder et, plus tard, à joindre sa voix aux autres passagères quand elles se mirent à chanter. Lorsque le train s'arrêta à Québec, elle avait déjà fait la connaissance de plusieurs de ses compagnes. La plupart de ces belles voyageuses étaient des femmes du monde, sûres d'elles-mêmes et de leur charme, et c'est avec une tranquille certitude qu'elles avaient entrepris le voyage. Mais il s'en trouva quelques-unes pour s'inquiéter des résultats de l'entreprise. Gabrielle écouta sans trop intervenir. Bien sûr elle n'était pas indifférente à la question, mais n'aurait-elle pas accepté ce voyage pour son seul agrément?

Si elle fut impressionnée en arrivant au Parlement, c'est surtout par la foule qui se pressait non loin de l'édifice. Plusieurs Québécoises étaient en effet venues avec des pancartes se joindre à la centaine de femmes arrivant de Montréal. Il faisait froid dans la Vieille Capitale, et les manifestantes durent taper du pied, se frotter les mains et les oreilles et se serrer les unes contre les autres. Des groupes s'étaient formés; on identifia quelques-unes des organisatrices, on présenta celles qui feraient des allocutions.

Gabrielle aperçut Marie-Mère qui conversait avec un homme non loin des portes d'entrée. C'était sans doute Henry Miles, le député chargé de la présentation. Il paraissait nerveux; il disparut pendant plusieurs minutes, revint discuter, s'en alla de nouveau. On commença à chuchoter que le premier ministre avait sous-estimé le nombre des manifestantes et qu'il ne savait plus où les recevoir. Un vent d'impatience se mit à souffler; il faisait de plus en plus froid.

Enfin, après plusieurs aller-retour et de longs conciliabules avec le premier ministre, Henry Miles vint annoncer que, puisque la salle de l'Assemblée n'était pas assez vaste, Alexandre Taschereau recevrait ces dames au restaurant du Parlement. Il y eut des murmures moqueurs: elles n'étaient tout de même pas venues de si loin pour prendre le thé! Munie d'un porte-voix, l'une des organisatrices invita les protestataires au calme et à la patience: le premier ministre allait bientôt les accueillir. Mais il fallut encore faire préparer la grande salle du restaurant, repousser tables et fougères, disposer les chaises en rangées, en chercher d'autres; il était tard quand l'installation fut achevée et que les manifestantes furent invitées à entrer.

Alexandre Taschereau arriva enfin, suivi de messieurs les députés et ministres et, après avoir formulé quelques mots de bienvenue, s'assit en face de l'assemblée et demanda à ses invitées d'exposer le but de leur visite. Marie Gérin-Lajoie parla la première et, selon son habitude, s'exprima avec modération. Elle désirait rassurer ses auditeurs et leur dire que le suffrage des femmes n'allait entraîner aucun désordre au sein des foyers. En demandant le droit de vote, les mères de famille ne songeaient nullement à abandonner leurs obligations familiales, elles ne faisaient qu'exprimer leur volonté d'exercer leurs droits sociaux. Elle fut chaudement applaudie par les femmes.

Des journalistes prenaient des notes pendant les discours des autres déléguées: mesdames Stewart, Derick et Geggie, Lady Drummond et mademoiselle Carrie parlèrent dans le même sens que la présidente. Ces Anglaises étaient des amies de Marie-Mère; Gabrielle les avait toutes déjà entrevues à la Fédération. Mais c'est incontestablement Idola Saint-Jean qui captiva le plus son public. La réputation de cette féministe radicale l'avait précédée; elle était visiblement connue de certains députés car, dans les dernières rangées, on se mit à parler à voix basse et à se moquer. Ayant choisi de s'asseoir à l'écart, histoire d'épier les réactions, Gabrielle eut du mal à entendre certains passages de son discours. Elle le regretta. Cette femme énergique dont elle avait lu des articles dans *La Revue moderne* et avec qui elle avait échangé quelques mots dans le train lui paraissait audacieuse, certes, mais remarquablement logique dans ses raisonnements, parlant du féminisme comme d'un courant mondial que personne ne pourrait arrêter. Il est vrai que ses manières n'étaient ni précieuses ni raffinées, et qu'elle tenait des propos hardis, mais elle était loin de mériter la réputation de virago qu'on essayait de lui faire, même dans certains cercles féminins. Peut-être la méprisait-on à cause de qualités jugées trop masculines!

Évidemment, son attitude contrastait avec celle, posée et pleine d'une délicatesse enjouée, de Thérèse Casgrain. Cette autre femme, que Gabrielle avait aperçue de loin durant le voyage, était d'une extrême élégance. Elle parla à son tour et quelques députés y allèrent de leurs commentaires, cette fois nettement favorables. La femme de Pierre Casgrain connaissait l'art de charmer un auditoire et en fit rire plusieurs.

— Si les hommes et les femmes attendaient tous les cinq ans pour se chicaner, dit-elle, il ne fait pas de doute que la plupart des ménages seraient plus heureux. Pourquoi refuserait-on aux femmes l'égalité avec les hommes? Certainement pas à cause de leur soi-disant infériorité. La plupart des femmes que je connais sont plus instruites que les hommes et… tout aussi intelligentes. Si le suffrage ne devait être accordé qu'aux êtres de génie, bien peu d'hommes auraient le droit de voter.

Des bravos enthousiastes montant de toutes parts auraient dû l'inciter à poursuivre, mais Thérèse Casgrain préféra laisser la parole à Henry Miles qui lui avait fait signe de sa place. Profitant de l'atmosphère joyeuse et détendue qui régnait parmi ses collègues, il jugea le moment opportun pour annoncer la présentation du projet de loi. Il se leva et le fit en réaffirmant ses convictions. Un vieux grincheux qui n'avait pas cessé de marmonner pendant les allocutions se mit à protester et à clamer que tout cela n'était que perte de temps. On chahuta autour de lui, les hommes se mirent à frapper en cadence sur le dossier des chaises et, dans les premières rangées, les femmes commencèrent à se retourner et à s'agiter. D'abord étonnée, Gabrielle se sentit de plus en plus irritée devant le comportement tapageur des députés. Le premier ministre se leva, probablement pour mettre fin au désordre.

C'est alors qu'un incident qu'on allait bientôt trouver plus fâcheux que comique se produisit. Henry Miles voulut se rasseoir, mais au moment où il allait le faire, un farceur s'empara de sa chaise, la retira, et l'homme tomba de tout son long. On rit beaucoup autour de lui jusqu'au moment où l'on se rendit compte que le député de Saint-Laurent paraissait incapable de se remettre sur pied. On s'aperçut qu'il était blessé à la tête, et il fallut plusieurs hommes pour le transporter. Le farceur qui avait provoqué l'incident prétendit que monsieur Miles jouait la comédie comme il l'avait fait en proposant un projet de loi aussi ridicule. Mais sa repartie tomba à plat: on n'avait plus envie de rire.

Déplorant la tournure des événements, le premier ministre en profita pour déclarer que, de toute évidence, il n'y avait pas unanimité autour de la question.

— Mesdames, il faut que vous sachiez que les femmes de la province ne sont pas toutes de votre avis. Je ne serais pas surpris qu'une délégation aussi importante que la vôtre vienne bientôt s'exprimer contre le suffrage des femmes. Cela nous place dans une situation regrettable et m'invite à laisser chacun décider selon ses propres convictions. La question est libre; chaque ministre ou député pourra la trancher comme bon lui semblera.

Le premier ministre fit une pause. Après le triste incident, ses paroles avaient achevé de refroidir l'atmosphère; le silence devint lourd dans la salle. Alexandre Taschereau poursuivit néanmoins:

— Je tiens toutefois à vous dire — je serais malhonnête si je ne le faisais pas — que j'étais et que je continue d'être contre le droit de vote des femmes. J'ajoute que c'est le bon sens qui me dicte ma position. C'est par respect pour la femme, par respect pour elle et pour son rôle dans nos foyers. C'est parce que je veux que son ministère, un ministère d'amour et de charité auquel l'homme est impropre, que cette mission très noble donc soit parfaitement remplie. Pour cela, je m'opposerai toujours à vos demandes. Je ne pourrai jamais me résoudre à réduire la femme à être l'égale de l'homme; ce serait la détourner de la tâche plus haute à laquelle Dieu l'a destinée. Pour rien au monde, le premier ministre de la province de Québec n'acceptera de détourner la femme de sa mission.

L'homme se rassit, manifestement satisfait. Y eut-il des applaudissements? Gabrielle ne les entendit pas. Plusieurs femmes se levèrent dignement et quittèrent le restaurant en silence; l'une d'elles s'essuyait les yeux. Pendant plusieurs minutes, ce fut la consternation chez les autres; on ne savait plus que dire, les derniers espoirs venaient d'être anéantis. Le groupe des députés s'attarda quelques minutes, certains essayant d'engager la conversation, mais devant le silence offensé des dames, ils s'en allèrent bientôt les uns après les autres.

Gabrielle n'était pas triste, elle fulminait. Elle avait le sentiment d'avoir été flouée; on s'était moqué d'elle et de toutes ses compagnes. Le décor de cette salle d'un luxe factice, les tables repoussées dans les coins et les chaises rangées comme pour un spectacle, tout cela lui paraissait préparé par de mauvais plaisantins. Elle vint se joindre au petit noyau que formaient Marie-Mère, Georgette et leurs amies et les écouta discuter. Elle n'était pas la seule à ruminer sa colère. Idola Saint-Jean venait d'apprendre de la bouche d'un journaliste que monsieur Taschereau avait reçu de nombreuses requêtes s'opposant au suffrage des femmes. Il ne faisait pas de doute que les hautes instances du clergé avaient pu orienter l'opinion du premier ministre.

On discuta ferme et Gabrielle se surprit à prendre part au débat. Marie-Mère semblait abattue et ne se mêla pas immédiatement à la discussion, mais quand Georgette Lemoyne déclara qu'il était impensable d'opposer une résistance au clergé, elle décida d'intervenir.

— Nous ne devons pas renoncer à convaincre les religieux, dit-elle, énergique, je suis persuadée qu'ils sauront nous comprendre en haut lieu. Mais il faudra encore nous armer de patience. Pour ma part, je suis prête à tout essayer et, je vous le dis, j'irai jusqu'à Rome s'il le faut.

Il y eut un silence respectueux. Dans toute autre bouche que la sienne, cette phrase aurait pu avoir l'air d'une fanfaronnade, mais énoncée par celle qui menait son action depuis si longtemps, la réflexion avait valeur de promesse. C'est donc sur un ton plus enthousiaste que les discussions reprirent; Gabrielle ne vit pas le temps passer. Il était tard quand les gardiens vinrent prier ces dames de quitter le restaurant, il faisait nuit quand elles sortirent du Parlement.

Elles avaient toutes raté leur train.

2

Ce contretemps ennuya d'abord Gabrielle: elle craignait que son père ne s'inquiétât inutilement. Charles Provencher risquait d'être contrarié, peut-être même lui en voudrait-il!... Elle se hâta donc de téléphoner à une voisine qui pourrait le prévenir qu'elle ne rentrerait que le lendemain. Celle-ci la rassura; elle s'occuperait d'avertir le vieil homme, à qui elle proposerait même de préparer son déjeuner du lendemain.

Dès qu'elle eut la certitude que son père serait avisé, qu'il pourrait dormir tranquille et manger à sa faim avant de partir au travail, Gabrielle retrouva sa quiétude. Elle ressentait une joie de petite fille à l'idée de se promener seule dans Québec et se mit à savourer ses heures de liberté comme un cadeau. Et en effet, cette promenade allait plus tard lui paraître providentielle: si elle n'avait pas raté son train, la fille de Charles Provencher serait tranquillement rentrée chez elle avec de beaux souvenirs, ce qui lui aurait évité de prendre froid en parcourant les rues de la ville mais l'aurait privée d'une rencontre dont elle allait se souvenir longtemps. Sans ce contretemps, Gabrielle ne serait pas allée rue Saint-Jean, ne serait pas entrée chez Garneau, n'aurait sans doute pas eu l'idée d'aller jusqu'au port et n'aurait jamais fait la connaissance d'Émile Gariépy.

Jamais, peut-être pas! À bien y penser, elle aurait pu rencontrer le journaliste ailleurs que dans une librairie; ne l'avait-elle pas déjà aperçu l'après-midi même au Parlement alors qu'il poursuivait le premier ministre, son petit carnet noir à la main? Les deux jeunes gens s'étaient regardés brièvement, quelques secondes à peine, elle avait été frappée par son regard vif et insistant, puis chacun avait poursuivi ses occupations: il avait rejoint ses collègues, elle avait rangé ses pancartes.

Chez Garneau, où elle était entrée moitié pour se réchauffer, moitié pour voir à quoi ressemblait la plus grande librairie de Québec, elle l'aperçut une deuxième fois. Il était là à bouquiner; il l'avait manifestement reconnue. Il se tourna vers elle et la salua. Elle lui sourit, plongeant un instant son regard dans le sien après l'avoir laissé errer parmi les rayonnages. L'occasion aurait été belle d'engager la conversation; il avait dû se faire la même remarque. Il la fixait à présent mais, au moment où il allait lui parler, le libraire s'était approché de lui et l'avait abordé familièrement. Gabrielle avait bouquiné quelques minutes, impressionnée par les rayons bien garnis. Elle avait hésité devant un livre qui aurait pu intéresser son père, un petit livre sur les jeux de patience. Le prix était inscrit en première page: un dollar pour un livre broché, c'était plus qu'elle ne pouvait payer; elle trouverait autre chose. Avant de sortir, elle vit que les deux hommes continuaient de discuter.

Les vitrines étaient soignées et lui parurent cent fois plus attrayantes que celles devant lesquelles elle passait tous les jours; elle aurait eu envie de faire des folies mais, selon son habitude, elle se montra raisonnable et ne dépensa que vingt sous dans un petit magasin où flottait une bonne odeur de cuisine. Ensuite elle aperçut l'escalier qui devait descendre jusqu'au port. Bien entendu, si elle n'avait pas cédé à son caprice d'aller se balader sur les quais, elle n'aurait pas eu aussi peur. C'était un peu téméraire de se promener dans une ville étrangère la nuit venue, Gabrielle en prit conscience en descendant les marches, et plus encore quand elle entendit des pas derrière elle. Elle ne se retourna pas, préféra regarder devant elle, prête à prendre ses jambes à son cou s'il le fallait. Et, la gorge sèche, le cœur battant follement, malgré tous ses efforts pour paraître désinvolte, elle ne put s'empêcher de presser le pas.

— N'ayez pas peur, entendit-elle dans son dos, c'est justement pour qu'il ne vous arrive rien que je vous ai suivie.

La voix était réconfortante; elle se retourna. Il était là. C'était si naturel qu'elle n'en fut même pas étonnée. Ils s'étaient regardés sans surprise, comme s'ils devaient tout normalement se retrouver. Il l'avait saluée, elle de même, et ils s'étaient mis à parler en même temps, sans se quitter des yeux. Il faisait froid, oui, et il ventait beaucoup.

Il avait une voix grave et chaude.

— Le vent est toujours très vif sur le fleuve, c'est un vent froid, presque glacé, mais il est chargé d'odeurs marines. Ce sont des odeurs que j'aime.

Tout naturellement, ils se mirent à marcher côte à côte en parlant. Gabrielle aussi était sensible aux odeurs mais ce n'était pas pour humer la brise marine qu'elle était venue au port. Elle avait voulu voir à quoi ressemblait le fleuve ici. En fait elle n'était pas certaine de savoir pourquoi elle était si mystérieusement attirée par les ports. C'était plus probablement à cause des bateaux; elle éprouvait un attrait semblable pour les calèches et les automobiles, pour tous les moyens de transport en somme, elle s'en rendait compte en parlant, elle aimait également les trains, les tramways, oui, même les tramways, son père était d'ailleurs chauffeur de tramway, peut-être cela expliquait-il son attirance, non? Sans doute les parents avaient-ils quelque chose à voir dans les inclinations de leurs enfants. Elle se tut. Émile lui sourit, se présenta. Il était né à Gaspé; son père était médecin mais son grand-père avait été pêcheur, et il se souvenait de fameuses randonnées avec lui. Il avait passé une partie de son enfance au bord de la mer et y retournait aussi souvent qu'il le pouvait. Il éprouvait une véritable fascination pour les bateaux et venait souvent ici, rien que pour les regarder ou, quand ce n'était pas la saison, pour respirer l'air du large.

Tout en contemplant son profil anguleux, Gabrielle n'eut pas de mal à imaginer le petit garçon actif et dégourdi qu'il avait été. Mélancolique aussi, sans doute marqué par quelque secrète blessure. Elle trouva à Émile Gariépy un charme certain et, probablement à cause de ses lèvres minces et de son regard pénétrant, un regard qui semblait la transpercer jusqu'à l'âme, il lui rappela la photo de Charles Baudelaire que son patron gardait dans l'arrière-boutique de la *Librairie des deux mondes*.

Émile s'était tu soudain, peut-être pour mieux rattraper ses souvenirs, et Gabrielle avait laissé le silence s'insinuer entre eux. Ils avaient continué de marcher, avançant au milieu de l'enchevêtrement des câbles et des caisses de bois qu'on s'apprêtait à charger sur des chariots. Il regardait le fleuve et fixait le scintillement des feux sur l'autre rive. Gabrielle nota qu'il était à peu près de sa taille et, curieusement, cela lui plut; elle éprouvait du plaisir à marcher à ses côtés. Il avait retiré son chapeau en la saluant et l'avait gardé en main; ses cheveux bruns repoussés par le vent dégageaient un front large et bombé, des tempes dégarnies. Avec une sorte de détachement, il se laissa examiner sans réagir, sans dire un mot, comme s'il subissait une épreuve nécessaire.

D'abord déconcertée par son silence, Gabrielle se surprit à le trouver... confortable. Elle se sentait bien en compagnie de cet homme discret qui n'essayait ni de briller ni de faire preuve d'éloquence; il était là, infiniment présent, tout entier tourné vers le fleuve. Longtemps après ce premier soir, bien des années plus tard, Gabrielle allait chercher ce qui lui avait fait éprouver un pareil bien-être auprès d'Émile. Et elle ne saurait pas si elle devrait l'attribuer au son apaisant de sa voix, à son accent rond et chantant ou à la qualité de ses silences.

Ils bavardèrent encore quelques minutes en marchant, sans se presser, ménageant des pauses entre leurs paroles. Émile était un causeur réfléchi; Gabrielle eut l'impression qu'il prenait le temps de penser ses phrases et de peser chaque mot avant de le prononcer. Il fut discret quand elle lui posa des questions sur sa profession, parlant beaucoup plus de son plaisir d'écrire que du métier qu'il exerçait. Quand il l'interrogea à son tour sur son travail de libraire, elle devint plus volubile. Son père lui avait transmis son amour pour les livres et pour la chose écrite; Charles Provencher était également grand amateur de journaux, que Gabrielle lui lisait quotidiennement. Il estimait les journalistes de combat comme Olivar Asselin et Henri Bourassa qui n'avaient pas peur d'exprimer leurs opinions.

Leur conversation fut interrompue par des cheminots occupés à pousser des chariots remplis de sacs de grain; ils n'avaient pas vu les promeneurs et fonçaient droit sur eux. Pour lui permettre de les esquiver, Émile prit Gabrielle par le bras et l'attira à l'écart, très doucement. Ce geste, rempli de délicatesse, la troubla pourtant. Émile s'en aperçut et la fixa sans sourire, perplexe.

Elle s'excusa. Elle devait partir à présent, il le fallait, quelle heure était-il donc? Elle n'avait pas vu le temps passer; elle s'était attardée dans les magasins tout à l'heure, cherchant des souvenirs à rapporter chez elle, un ruban de soie pour sa sœur Adrienne, des allumettes de bois pour son père; elle lui montra ses paquets, elle avait dû visiter plusieurs boutiques avant de trouver des cadeaux bon marché, mais ils feraient des heureux, sa jeune sœur avait quatorze ans et raffolait des rubans de couleur, son père n'était pas difficile à contenter, et elle-même adorait marcher; elle avait eu envie d'aller jusqu'au port en apercevant l'escalier Champlain. Elle interrompit ce flot de détails pour éternuer et éclata de rire. Cette journée avait été pleine d'imprévus: d'abord ce grand voyage en train, ensuite cette manifestation, décevante certes mais tellement exaltante aussi, et puis cette halte prolongée dans une ville inconnue, c'était beaucoup d'émotions pour elle, habituée à plus de tranquillité.

Elle s'arrêta net, mécontente. Elle se jugeait bavarde et futile; elle devait beaucoup l'ennuyer avec ses frivolités. Émile Gariépy paraissait en effet légèrement contrarié mais il proposa tout de même de la raccompagner. Oh, ce n'était pas nécessaire, les Bédard habitaient le carré Notre-Dame, c'était tout près selon ce qu'on lui avait dit. Les Bédard? Il se mit à rire à son tour. Bon, elle avait certainement commis une étourderie. Il la rassura. Les Bédard habitaient effectivement tout près, mais ils seraient en avance, la soirée ne commençait jamais avant huit heures, ils pouvaient encore se promener. Elle avait eu un petit rire de joie. Ainsi, elle l'aurait rencontré de toute façon puisque le journaliste avait lui aussi été convié à cette soirée à laquelle devait participer Marie Gérin-Lajoie. C'était d'ailleurs pour y assister que Gabrielle s'était laissé convaincre, sans trop de difficulté, de passer la nuit à Québec plutôt que de repartir par le train de huit heures; Marie-Mère rentrerait avec elle dans la matinée du lendemain.

Leur rencontre était donc inévitable, Émile et Gabrielle se seraient connus même si la jeune femme avait résisté à l'envie d'aller voir le fleuve. Mais si elle l'avait rencontré dans un salon bourgeois de Québec, l'homme lui aurait-il fait une si forte impression? Aurait-il eu cette voix émue, aurait-il pu lui parler de sa passion pour la mer aussi éloquemment qu'il l'avait fait sur le quai, le regard perdu au large, le chapeau à la main? Était-ce à cause du vent qui le forçait à parler haut et qui mettait dans sa voix une sorte de gravité? Gabrielle, remuée, l'avait écouté comme s'il avait récité *Le Vaisseau d'or*. Pourtant, ils n'avaient tout d'abord échangé que des banalités; il avait parlé du froid, elle du vent.

Combien de temps avaient-ils continué à bavarder en marchant, y allant de leurs souvenirs et de leurs penchants? Gabrielle n'aurait su le dire tant elle se sentait incapable de mesurer quoi que ce soit. Pendant toute la journée, elle avait oublié ses préoccupations courantes; elle se sentait vide à l'intérieur, ne parvenait pas à analyser ou à classer les événements comme elle le faisait d'ordinaire, au fur et à mesure qu'ils se déroulaient. Depuis le matin, elle était happée par le temps, transportée, poussée par un vent mystérieux qui l'empêchait d'avoir prise sur ce qui se passait autour d'elle. Mais que ce vent était délicieux et grisant! Tout était-il réellement aussi merveilleux ou était-elle seulement victime de ces bouffées d'euphorie qui lui venaient parfois aux premiers signes du printemps?

Elle s'efforça de retrouver son calme en arrivant chez les Bédard et prit soin de scruter le regard de Marie-Mère, regard auquel rien n'échappait. Celle-ci lui trouva en effet les joues rouges et l'air fiévreux. C'était donc ça, cette sensation étrange, cette chaleur liquide qui coulait dans ses veines, qui affolait son cœur et mettait du feu sous ses tempes, qui lui glaçait les pieds et les mains. Une simple grippe donc. Mais que la sensation était agréable! L'état de grâce se poursuivait, rien ne semblait banal, la maison était belle et riche, plus belle et plus riche que tout ce qu'elle avait vu sur les photographies glacées des magazines. Mais bien sûr elle serait incapable de la décrire à Adrienne quand celle-ci la harcèlerait de questions. Oui, elle voyait des tapis, des tableaux et des miroirs, des doubles tentures de velours, des volumes aux riches reliures, des meubles de prix, des hommes et des femmes somptueusement vêtus servis par des domestiques, mais elle n'allait en garder aucun souvenir précis.

Les gens étaient affables, Gabrielle se retrouvait plus ou moins en pays de connaissance parmi ces visages entrevus dans l'après-midi, et les discussions reprirent. On parla de la pétition qui avait circulé dans plusieurs régions du Québec et qui devait parvenir au premier ministre au cours des prochains jours. Beaucoup de femmes n'approuvaient pas les revendications de leurs consœurs. Gabrielle connaissait la farouche opposition des fermières, comme celle de ses cousines de Saint-Hyacinthe. Germaine, l'aînée des filles de son oncle Victor, lui avait expliqué en détail pourquoi elle redoutait le suffrage des femmes. Selon elle, le droit de vote allait rabaisser les femmes et les entraîner aussi bas que les hommes dans ces assemblées politiques où on blasphémait et où on buvait immodérément. Ce n'était pas la place d'une femme, pas d'une femme distinguée en tout cas; une femme devait demeurer gardienne des bonnes mœurs et ne pas s'en laisser imposer par celles qui, à force de travailler dans des usines, avaient fini par adopter les mauvaises habitudes des hommes.

Dans les milieux bien informés, on savait que le cardinal Roy avait fait parvenir aux évêques une lettre leur recommandant d'adopter une position ferme. Le discours alarmiste des curés influençait manifestement ces épouses et ces mères qui redoutaient de semer la discorde dans leurs foyers. Marie Gérin-Lajoie était de plus en plus convaincue qu'il lui faudrait aller aux sources, insister pour que le pape Pie XI, qui venait tout juste d'être élu, se prononce clairement en faveur du vote des femmes. Elle paraissait fatiguée par toutes ces discussions, mais elle avait son air déterminé des grands combats.

Encore une fois, Gabrielle fut fascinée par son courage et son énergie. À côté de cette petite femme décidée qui dépassait la cinquantaine, elle se jugeait passive, incapable de penser, à court d'arguments, trop fatiguée pour réfléchir. Elle se demanda quelle opinion Émile avait de la chose; elle avait négligé de lui poser la question et ils n'avaient pas abordé le sujet. Elle n'eut pas le loisir de le lui demander; dès son arrivée, Émile avait été rapidement entraîné du côté des hommes et elle ne le revit qu'au moment de partir.

Épuisée par sa promenade et par les premiers effets de sa grippe, Gabrielle fut contente d'avoir un prétexte pour s'en aller de bonne heure. Dans l'après-midi, Marie-Mère lui avait donné l'adresse d'une pension pour jeunes femmes, lui recommandant de ne pas rentrer trop tard si elle voulait trouver la porte ouverte. Apercevant Émile et le voyant si entouré, elle se dit que le port, malgré son air glacé, était un endroit plus intime et, pour tout dire, infiniment plus romantique que le salon d'une famille riche de Québec, si bien fréquenté fût-il. Elle s'approcha de lui, il lui fallait partir à présent, elle lui tendit la main en silence; ils se saluèrent brièvement mais leurs regards mirent du temps à se détacher.

Elle ne se demanda pas quand elle allait le revoir. Elle eut toutefois le temps de le faire plus tard, le sommeil étant long à venir. Dans une vaste chambre qui lui rappelait le dortoir d'un pensionnat, elle se tourna et se retourna entre les draps trop empesés. La lumière qui filtrait de la haute fenêtre à battants éclairait les quatre petits lits de fer et, bien qu'elle fût seule dans la chambre, elle éprouva des angoisses semblables à celles qui l'avaient hantée au couvent. Gabrielle n'avait pas été pensionnaire longtemps mais elle avait vécu ces cinq mois de réclusion bien comptés comme s'ils avaient été un châtiment interminable. Son père avait fait pour le mieux, il avait cru que le couvent distrairait la petite fille de huit ans et saurait lui faire oublier la mort de sa mère. Lui-même avait été très affecté par le drame; sa femme était morte en donnant naissance à Adrienne et, dans son désarroi, l'homme n'avait rien trouvé de mieux à faire que d'éloigner les deux fillettes. En se séparant de sa fille aînée, il s'était puni lui-même. De son côté, coupée brusquement de tout ce qui composait son milieu familial, la jeune Gabrielle n'avait fait que se morfondre elle aussi.

Elle avait tenté en vain de s'habituer aux manières froides et compassées des Dames de la Congrégation, aux couloirs sombres et aux règlements stricts du couvent. Peu avant les grandes vacances, elle s'était juré de ne plus y remettre les pieds et, grâce à sa conduite exemplaire et à son attitude raisonnable durant l'été, elle avait persuadé son père de la garder avec lui. À force de s'appliquer, elle avait même réussi à le convaincre qu'elle pourrait s'occuper d'Adrienne. Mais c'était surestimer ses capacités; elle dut attendre que sa sœur cadette soit en âge de marcher pour pouvoir jouer à la mère. De toute manière, Charles Provencher s'était beaucoup ennuyé de sa fille et, eût-elle exprimé le désir de rester au couvent, il aurait certainement tenté de l'en dissuader.

Dans le petit lit qui sentait l'eau de Javel, Gabrielle ressassait des pensées contradictoires. Elle qui aimait tendrement son père commençait à se reprocher de l'avoir laissé seul. Elle se mit à imaginer les pires catastrophes. Toutes ses initiatives du jour lui parurent soudain inutilement audacieuses; elle se jugea ingrate, égoïste, profiteuse. Mais en même temps, elle continuait de se sentir euphorique, délicieusement euphorique et coupable. Elle passa une partie de la nuit à se traiter de tous les noms et à se justifier tour à tour. Elle imagina des situations aussi improbables que terrifiantes: il n'y avait plus de train pour Montréal et il lui fallait faire appel à Émile Gariépy pour rentrer. Ou encore, elle arrivait en retard à la gare et devait passer un jour de plus à Québec. Elle dut finir par s'endormir puisqu'elle allait se souvenir de quelques-uns de ses rêves de cette nuit-là.

Quand elle s'éveilla, il faisait grand jour et elle était sérieusement enrhumée. Mais elle continuait de penser qu'une nouvelle vie allait commencer pour elle.

3

Son père la remercia pour les allumettes. Les petites boîtes jaunes ornées d'un chat noir se glissaient parfaitement dans sa tabatière et il paraissait touché de l'attention. Il en caressa une du bout du doigt et la mit avec les autres sur la tablette placée au-dessus du poêle, là où il rangeait sa pipe et son tabac. Il ne lui fit ensuite aucun reproche au sujet de son séjour forcé à Québec mais, quand elle commença à lui raconter son voyage, lui décrivant avec enthousiasme ses émerveillements devant les paysages enneigés ou les monuments de la ville, l'humeur du vieil homme s'assombrit.

Gabrielle remarqua qu'il devenait de plus en plus taciturne au fur et à mesure de son récit et, quand elle lui parla du comportement tapageur des députés, épisode qui aurait dû susciter de sa part des commentaires emportés, il se contenta de hocher la tête en gardant un silence buté. Elle lui épargna donc certains détails et omit de parler de sa promenade sur les quais. Par pudeur tout d'abord, et parce qu'elle éprouvait encore de l'émoi à l'évoquer, mais aussi parce qu'elle ne voulait pas lui causer de chagrin.

Non pas que Charles Provencher eût l'habitude de contrôler les allées et venues de sa fille aînée, non, il se défendait de lui interdire quoi que ce soit, il se plaisait même à répéter que Gabrielle était libre puisqu'elle avait un prétendant. C'était une manière de dire qu'il ne la retenait pas. Pour rien au monde, il n'aurait voulu passer pour l'un de ces pères possessifs et égoïstes qui se permettent de congédier les amoureux de leur fille parce qu'ils ne veulent pas voir celle-ci quitter la maison. Au contraire, il avait beaucoup d'affection pour le jeune homme qui fréquentait la sienne; c'était même un sujet de plaisanterie entre Gabrielle et lui: elle disait que Paul-Étienne venait davantage pour bavarder avec son père que pour lui faire la cour.

En effet, Paul-Étienne appréciait la compagnie de Charles Provencher au point de passer des soirées entières à discuter ou à jouer au bésigue avec lui; plus souvent qu'à son tour, c'est Gabrielle qui devait leur faire remarquer l'heure en venant leur souhaiter le bonsoir, bien après qu'Adrienne fut couchée. Cependant elle ne manquait jamais d'encourager leur complicité, allant jusqu'à refuser certaines invitations qui auraient exclu son père. Si ce dernier insistait pour la laisser seule avec son soupirant, Gabrielle protestait. Après quelques tentatives de la part de Paul-Étienne pour profiter d'une plus grande intimité avec la jeune femme, elle avait dû mettre les choses au point et déclarer qu'elle ne se sentait pas prête pour de vraies fréquentations.

Gabrielle reconnaissait que Paul-Étienne Després était un gentil garçon. Curieux de tout et amène, il était employé dans une banque et gagnait bien sa vie. De plus, il avait fière allure dans son uniforme. Il jouait de la clarinette à la perfection et interprétait magnifiquement l'ouverture de *Guillaume Tell*. C'était un homme intelligent qui montrait du goût pour la musique et les arts, mais Gabrielle ne l'aimait pas, du moins pas vraiment. Il lui arrivait de s'ennuyer en sa présence, elle le trouvait souvent trop bavard. Et il était hors de question qu'elle épousât un homme qu'elle n'aimerait pas d'amour.

Charles Provencher le savait mais ne désespérait pas de voir sa fille changer d'avis.

— L'amour n'est pas pressé, il prend souvent son temps pour se déclarer, avait-il coutume de dire en tirant sur sa pipe, l'œil allumé par quelque bon souvenir.

— Je ne suis pas pressée non plus, répliquait Gabrielle, mais l'amour est un sentiment qui ne se commande pas.

— Qu'est-ce que tu en sais, ma fille?

Elle s'embrouillait un peu.

— Je n'en sais rien mais je devine... Je suppose que c'est quelque chose de très fort qui survient comme une tempête. Comme un vent qu'on ne peut arrêter et qui vous emporte sans que vous puissiez résister!

Son père haussait les épaules. Pour sa part, il pouvait se vanter d'avoir fréquenté sa promise durant plus de cinq ans avant de gagner son affection.

— Mais c'était dans l'ancien temps, répliquait Gabrielle, et maman ne résistait que pour mieux vous mettre à l'épreuve.

Il acquiesçait en soupirant. Il aimait que Gabrielle le lui rappelle: Yvonne Girard et lui avaient formé un couple uni. Et heureux malgré les épreuves, malgré les grossesses difficiles d'Yvonne et les trois enfants qu'elle avait perdus presque immédiatement après leur naissance. Peu après la venue au monde de Gabrielle, la plus jeune des sœurs Girard s'était retrouvée enceinte puis en deuil durant presque cinq années consécutives, compte tenu évidemment de ses fausses couches. Une nature fragile cette Yvonne, mais qui ne refusait jamais de se remettre à l'ouvrage sitôt rétablie.

Gabrielle, qui avait toujours vu sa mère pâle dans ses robes noires et peu encline à sourire, se souvenait d'elle comme d'une femme effacée, au sourire très doux, qui paraissait perpétuellement lasse et malade. Elle devait toujours veiller à ne pas la fatiguer, se retenait de rire ou de courir en sa présence, et c'est spontanément qu'elle s'était rapprochée de son père, le jugeant plus accessible et plus tolérant. Charles Provencher s'était d'ailleurs chargé de l'éducation de sa fille, lui avait appris à lire avant même de l'envoyer à l'école et l'avait fièrement trimballée partout avec lui. Il s'était créé entre eux une belle connivence qui n'avait fait que s'intensifier au cours des ans. Une connivence qui n'allait toutefois pas sans quelques pointes de jalousie de la part de Charles quand sa fille se montrait un peu plus lointaine.

Naturellement, Gabrielle se doutait que ses fausses fréquentations avec le jeune Després arrangeaient son père; n'avaient-elles pas pour effet de la garder à la maison tout en éloignant d'autres prétendants? À vingt-deux ans, la jeune femme n'avait guère eu l'occasion de s'en formaliser; jusqu'à présent ses histoires de cœur se résumaient à peu de chose: une amourette de vacances avec un étudiant des Beaux-Arts et un béguin, plus sérieux celui-là, pour un prêtre de sa paroisse qui avait été son confesseur durant deux ans, penchant amoureux qu'elle s'était efforcée de refouler. Les occasions de rencontrer des jeunes gens n'étaient pas nombreuses et, mis à part un ou deux clients de la librairie qu'elle avait trouvés à son goût, elle ne voyait pas beaucoup d'hommes qui auraient pu lui donner envie de fonder un foyer. «Vous m'avez rendue trop exigeante, disait-elle à son père en plaisantant, il me faudrait un soupirant qui ait toutes vos qualités en plus de la jeunesse! Est-ce que ce n'est pas trop demander à un seul homme?»

Le sourire que son père lui rendait en se berçant compensait bien les commentaires moqueurs de ses cousines, toutes bien mariées celles-là et avec déjà une demi-douzaine d'enfants à elles quatre. Pourtant Gabrielle ne les enviait pas. Certaines personnes ne sont pas douées pour le mariage, se disait-elle pour expliquer son peu d'empressement à suivre leur exemple. Elle n'était pas loin de penser qu'elle ferait comme ses trois tantes Girard restées célibataires: comme Berthe, Cécile et Simone avaient pris soin de leurs vieux, elle se disait qu'elle pourrait s'occuper de son père et lui ménager une vieillesse heureuse. N'était-elle pas responsable du bonheur de celui qui avait joué pour elle le rôle de deux parents?

On ne peut pas dire que ses convictions ne furent pas ébranlées après sa rencontre avec Émile. Bien qu'elle se retînt de ressentir un vrai sentiment pour cet homme avec qui elle n'avait fait que bavarder, elle ne put empêcher les images de surgir et de nourrir ses rêveries. Elle s'interdit toutefois le moindre espoir, se contentant d'évoquer les moments de sa rencontre comme elle aurait feuilleté un album de photos, parfum marin et couleurs de brume en plus, avec un soupçon de mélancolie. Mais en gardant ses souvenirs pour elle, elle se rendit compte qu'elle venait de rompre un des liens qui l'unissait à Charles Provencher: elle venait de mettre fin à vingt ans de complicité.

Déjà, depuis qu'elle se rendait plus fréquemment à la Fédération, elle avait dû essuyer de la part de son père des remarques teintées d'amertume. Elle les avait accueillies avec un sourire; le père avait baissé les yeux et capitulé momentanément devant la bonne humeur de sa fille. Il était toutefois revenu à la charge quand elle lui avait parlé de son voyage à Québec. Non, il ne désapprouvait pas ses activités; contrairement à la plupart des hommes de son âge, il était favorable au suffrage des femmes. Il était même particulièrement fier de sa position d'avant-garde. Ses journalistes préférés, les Asselin, Dupire et Bourassa, ne possédaient pas la moitié de son audace; au fond, ces hommes-là avaient peur des femmes, affirmait-il en manière de provocation. Et il ne ratait jamais son effet. À Saint-Hyacinthe, lors de sa visite du Nouvel An, il avait lancé sa petite phrase à son frère Victor, et il s'en était fallu de peu qu'il ne revienne à la maison avant d'avoir goûté aux tourtières.

Il voyait donc d'un bon œil les activités de Gabrielle à condition qu'elle ne s'absentât pas trop souvent de la maison. En ce sens, on peut dire que le projet d'un voyage à Québec ne l'avait pas beaucoup réjoui. Mais plutôt que de mettre sa mauvaise humeur sur le compte de l'absence de sa fille, il avait préféré dire que les femmes n'obtiendraient jamais leur droit de vote en se rendant au Parlement.

Qu'il ait deviné juste aurait dû le faire sourire; il était manifestement flatté d'avoir eu raison, mais il s'entêta à garder le silence du sage en écoutant le récit de sa fille. Gabrielle ne s'y trompa point: son père boudait. La seule manière qu'elle put trouver pour lui rendre l'usage de la parole fut de recourir à sa vieille habitude de lui lire les journaux.

De sa petite voix égratignée par le rhume, elle commença par les grands titres. Dans *Le Devoir* et *Le Canada* du 10 février 1922, on rapportait la visite de la délégation de femmes. Gabrielle voulut s'interrompre, se jurant de reprendre sa lecture plus tard et pour elle seule, mais son père la pria de lire à voix haute. L'un des articles était laconique et racontait les faits avec une certaine froideur. Mais, dans *Le Devoir,* sous la plume de Louis Dupire, la manifestation des suffragettes était décrite tout autrement. Le journaliste, qui ne manquait pas d'humour et que les Provencher lisaient ordinairement avec plaisir, commençait son article sans cacher son parti-pris. «S'il en est ainsi quand ces dames viennent demander des droits politiques, qu'en sera-t-il quand elles les exerceront?» écrivait-il en parlant de l'émoi causé par la manifestation. Il se moquait ensuite des manifestantes et décrivait leurs vêtements avec force détails. Il commentait également le costume de monsieur Miles en ces termes: «Celui-ci avait exhumé de sa garde-robe une jaquette d'un coupé juvénile, dont les basques se soulevaient allègrement, quand il allait de la chambre au restaurant, du restaurant chez le premier ministre, pour mettre la dernière main aux préparatifs.» Louis Dupire poursuivait ainsi ses réflexions: «Nous ne sommes pas encore, quoi qu'en disent les pessimistes, tombés, pour le costume féminin, dans la morne banalité; et rien n'est si différent d'un chapeau de femme qu'un autre chapeau de femme.»

Ces propos futiles et condescendants enrobaient l'événement d'une sorte de frivolité que Gabrielle était loin d'avoir perçue. Bien sûr le journaliste rapportait aussi les faits, mais sans parler de la chute malheureuse d'Henry Miles et de la conduite insolente des députés.

— Cet homme est malhonnête. Il nous tourne en ridicule mais passe sous silence le ridicule des députés. Cet article est injuste, il ne donne pas une idée exacte de ce qui s'est passé à Québec. J'ai bien peur que les journalistes ne soient dépourvus d'objectivité; je ne pourrai plus les lire de la même manière à présent que je sais de quelle trahison ils sont capables.

La colère de Gabrielle arracha un sourire au vieil homme qui parut brusquement ragaillardi. Cela fit frémir Gabrielle; elle aurait juré que sa fureur le mettait en joie.

4

Quelques jours après la manifestation, Olivar Asselin écrivit dans *Le Matin*: «Si la femme fait de la politique, elle sera mère d'autant plus distraite, épouse d'autant moins attentive qu'elle sera citoyen plus consciencieux.» Ne redoutant pas de se faire quelques ennemies de plus, celui qu'on allait appeler le plus grand journaliste du Québec ajouta: «En outre, quelque temps qu'elle consacre à la politique, la femme n'y apportera qu'une intelligence inférieure.»

Ainsi, son vieil ami et complice Henri Bourassa avait réussi à convaincre Asselin de se prononcer contre le vote des femmes. Lui-même avait également pris position dans les pages de son journal. Farouche adversaire des féministes, depuis 1918 il avait plusieurs fois dénoncé «ces bourgeoises dévoyées de l'égalité sexuelle, ces perruches huppées appelées ailleurs des *society women,* ces émancipées et ces détraquées qui avaient entrepris de consommer la déchéance morale de la femme et la désorganisation de l'ordre social». Les articles des deux compères échauffèrent les esprits. Durant les jours qui suivirent, on put lire des encouragements aux campagnes antisuffragistes dans les pages des grands quotidiens. Des pétitions contre le vote des femmes continuaient de circuler dans tous les coins de la province; un mouvement regroupant des Ontariennes était même venu les appuyer par le communiqué suivant: «Nous croyons que la grande majorité des femmes de l'Ontario préféreraient n'avoir pas le droit de voter.»

Dans les églises, les curés se chargèrent de jeter de l'huile sur le feu. À la messe du dimanche, Gabrielle eut la surprise d'entendre un sermon qui la mit en fureur, et cela de la bouche même du prêtre pour qui elle avait eu jadis du sentiment. Le beau curé Caron s'exprima dans ces termes:

— Aujourd'hui plus que jamais, nous sentons le besoin de monter la garde autour de nos mères afin d'empêcher ce souffle délétère de jeter le trouble dans leur esprit et de dessécher leur cœur, réservoir des vertus de la race et des espoirs de la religion. La femme peut facilement conduire le monde, continua-t-il sans reprendre son souffle, mais par mouvements gracieux et, suivant l'expression de saint François de Sales, à la façon des anges. C'est pourquoi il faut combattre comme l'un des grands maux le suffrage qui la fera descendre de son rôle providentiel pour en faire une athlète dans les arènes où tant d'hommes perdent eux-mêmes leur réputation, leur prestige et le meilleur de leur sentiment.

Le prêtre s'interrompit quelques secondes pour laisser tousser un paroissien et, pendant quelques instants, Gabrielle eut l'impression qu'il s'adressait à elle tant il semblait la regarder. Elle ne baissa pas les yeux, garda son regard rivé au sien. Pourquoi songeait-elle soudain à faire un rapprochement avec Émile? Il ne lui ressemblait pas pourtant, il était beaucoup plus âgé et, à vrai dire, beaucoup moins séduisant, mais la voix avait le même accent vibrant et emporté. La comparaison s'arrêtait là, du moins elle le souhaitait. Émile n'avait pas des idées aussi dépassées concernant la place des femmes dans la société.

— C'est la famille que l'Église veut protéger, continuait le prêtre, c'est la mère que nous défendons: la mère, gardienne incontestée du foyer. C'est sur elle que repose tout le fardeau familial et nous devons refuser sa dégradation. Le rôle de la femme est complémentaire à celui de l'homme; c'est ainsi que le Créateur a voulu les choses. Si la femme ne peut pas siéger dans les clubs politiques, elle n'en gardera que plus inviolé le prestige souverain qui la fait reine des foyers, maîtresse des cœurs, avocate victorieuse des pauvres et des miséreux, et enfin, ouvrière respectée et efficace du succès des œuvres, du rapprochement des classes et du bonheur des peuples. Il ne fait aucun doute que le prestige de la femme sera éteint par la libération politique que certaines réclament et, par voie de conséquence, ce sont les enfants qui en souffriront. Car méfions-nous, mes bien chers frères, les enfants seront-ils mieux surveillés, les liens de la famille seront-ils resserrés quand nos mœurs permettront aux mères de réclamer leur place dans les comités d'élections ou leur droit de parcourir les rangs pour racoler des suffrages en faveur de leur candidat? Auront-elles davantage le respect de leurs enfants? Non, mes amis, il ne faut pas permettre à la femme de tomber si bas.

N'en déplaise au vibrant orateur, Gabrielle ne réagit pas à la manière d'un ange. Son sang d'«ouvrière respectée et efficace du bonheur des peuples» ne fit qu'un tour et elle ne se gêna pas pour qualifier son ancien professeur d'épouvantail. Tous les prêcheurs des églises montréalaises s'étaient d'ailleurs donné le mot et tenaient sensiblement le même discours. Charles Provencher eut l'occasion de le vérifier le dimanche suivant, lui qui préférait assister à la messe dans la paroisse où il avait été «garçon». Il allait à l'église sans grande conviction religieuse; il le disait sans honte, c'était d'abord et avant tout pour écouter les sermons. «Les curés ont toujours eu peur des femmes, dit-il à sa fille, gageons qu'ils vous traiteront bientôt de démons!»

Quelques jours plus tard, Marie Gérin-Lajoie constata à son tour que la lettre des évêques avait porté. Mais elle eut du mal à comprendre pourquoi l'aumônier de la Fédération l'avait lui aussi endossée. Hier encore, monseigneur Gauthier l'avait encouragée à ne pas abandonner, disant que la question du suffrage ne regardait en rien l'Église et que, selon lui, le vote fédéral ayant été concédé, il était logique que les femmes aient les mêmes droits dans leur province.

En dépit de la vive opposition qui semblait se manifester à travers l'opinion publique, le projet de loi visant à rétablir le droit de vote des femmes fut déposé à Québec. En l'absence d'Henry Miles pas encore remis de sa chute, c'est le député de Saint-Jacques, Irénée Vautrin, qui s'en occupa. Pour l'occasion, un petit groupe de femmes, Marie Gérin-Lajoie en tête, se rendit de nouveau au Parlement. Gabrielle ne put être du voyage, mais Marie-Mère lui fit le récit de leurs pérégrinations.

Encore une fois, les députés usèrent d'un comportement bruyant et dissipé en voyant des dames installées dans les galeries. Le président de l'Assemblée dut les rappeler à l'ordre mais, avant de passer aux travaux du jour, Alexandre Taschereau demanda à déposer un document. Il s'agissait de la fameuse pétition: les nombreux regroupements féminins qui s'opposaient au droit de vote des femmes avaient réussi à recueillir quarante mille noms. Quarante mille femmes s'interdisaient le droit d'élire un gouvernement! Alexandre Taschereau remit les piles de feuilles contenant les signatures au secrétaire; fait par le premier ministre, le geste avait quelque chose d'ironique. Bien entendu, après ce coup de théâtre, Irénée Vautrin n'avait plus aucune chance de persuader ceux qui ne s'étaient pas encore prononcés; il essaya tout de même de déposer son projet de loi, mais on le chahuta tant et si bien qu'Alexandre Taschereau décida d'ajourner les travaux. Impossible de savoir combien de votes le projet de loi aurait récoltés.

Devant une opposition aussi importante, il y avait de quoi être déçu. «Nous n'avons même pas su convaincre les nôtres», dirent celles qui avaient fait campagne en faveur du vote. «Mais comment le pourrions-nous, répliqua Idola Saint-Jean, ces femmes-là ne fréquentent pas les cercles de la bourgeoisie. Ces femmes-là, vous ne les connaissez pas, ce sont des travailleuses: elles s'esquintent dans les fermes ou dans les usines, vous ne savez pas qui elles sont.» La féministe avait raison: la plupart des opposantes appartenaient à la classe ouvrière ou étaient de simples ménagères, et elles n'avaient guère de contact avec celles que Marie-Mère appelait elle-même les femmes de la classe aisée. Mais, chose certaine, sous la férule de leurs supérieurs, les prêtres et les curés avaient très bien su comment rejoindre ces travailleuses et orienter leurs opinions; ces messieurs avaient bel et bien réussi à dresser les femmes les unes contre les autres.

Toujours convaincue que les membres du haut clergé auraient l'esprit plus ouvert, Marie-Mère entreprit des démarches. En tant que présidente de la Fédération, elle avait accepté l'invitation du congrès de l'Union internationale des ligues catholiques féminines qui aurait lieu au mois de mai à Rome; elle comptait y obtenir une directive pontificale concernant les droits des citoyennes. Comme elle le faisait toujours en de délicates circonstances, elle alla d'abord consulter monseigneur Gauthier qui, tout en réservant sa propre opinion, l'assura de nouveau que la question ne relevait pas de la doctrine catholique. Elle s'informa ensuite auprès du nonce afin de savoir si elle pouvait espérer porter sa cause auprès de Sa Sainteté. À Ottawa, monseigneur Pietro di Maria la reçut aimablement et ne la découragea pas; il lui suggéra de préparer un document d'information destiné au Saint-Père.

Parmi les opposants au suffrage se trouvaient ceux qui en faisaient une question politique et ceux qui en faisaient une question de doctrine en niant à la femme le pouvoir d'exercer un droit qu'ils considéraient contraire au droit naturel. D'autre part, il y avait les opportunistes qui, sans nier la légitimité du suffrage, soutenaient que le vote n'était pas souhaitable pour les femmes de la province de Québec, car il causerait plus de mal que de bien. La plupart des hommes, excepté ceux de sa famille et de son entourage immédiat, quand ils n'étaient pas franchement opposés aux opinions de Marie Gérin-Lajoie, hésitaient à prendre position. Heureusement, il y en avait quelques-uns pour l'appuyer dans son combat.

Marie-Mère montra à Gabrielle la lettre qu'elle avait reçue de son ami Athanase David. «Ce n'est pas la violence du golfe qui a désagrégé le roc de Percé, avait écrit le respectable secrétaire de la province, c'est la persistance de la vague qui petit à petit l'a fait céder. Avec votre douceur, votre persistance et votre volonté, il en sera de même de la résistance que vous trouvez aujourd'hui sur votre route.»

En lisant ces lignes, Gabrielle eut une pensée pour Émile; avec son attrait pour la mer et son goût pour le mot juste, le journaliste aurait pu écrire cette phrase-là. C'est en tout cas ce qu'elle se dit, le peu qu'elle connaissait de l'homme la portant à croire en son appui; elle le devinait trop fin et trop sensé pour ne pas se solidariser avec les mouvements suffragistes. En dépit du temps et de la distance qui commençaient à nimber le souvenir de leur rencontre d'un beau halo, elle ne se départit pas de sa conviction: elle allait revoir Émile Gariépy. Cependant un besoin très vif de s'activer avait fait place à la mélancolie rêveuse qui l'avait saisie à son retour de Québec.

Avec un enthousiasme qui creusait des silences embarrassés entre elle et son père, elle se rendit de plus en plus souvent au bureau de la Fédération. Elle avait besoin de s'occuper l'esprit, besoin de s'oublier dans le travail, lui dit-elle en guise d'excuse. Et c'était vrai, Gabrielle détestait cette période de l'année où la monotonie des jours pesait d'un plus grand poids; en ces mois où la neige devenait grise et où l'hiver semblait s'installer pour longtemps, il lui semblait nécessaire de fuir ses habitudes pour s'absorber ailleurs.

Le local de *La Bonne Parole* était situé au Monument national, non loin de la librairie où elle travaillait, de sorte qu'elle prit l'habitude de s'y rendre après la fermeture du magasin. Parce qu'elle était souvent forcée de manger sur le coin d'un bureau, elle entraîna sa sœur Adrienne à prendre la responsabilité des repas à la maison. De toute manière, il était temps que l'adolescente prenne une part plus active aux tâches ménagères; depuis sa naissance, elle avait été couvée. Gabrielle voyait d'un bon œil ces rapprochements forcés de sa cadette avec un père qui n'avait jamais caché ses préférences à l'endroit de sa fille aînée; c'était au tour d'Adrienne de prendre soin de Charles Provencher, à son tour également de jouir de la sollicitude paternelle.

Pendant ce temps, Gabrielle s'instruisait. Georgette Lemoyne lui apprit à faire de la mise en pages et lui donna quelques trucs pour taper plus vite à la machine. Elle travaillait avec application; peu douée pour composer des textes, elle se montrait rapide et efficace quand il s'agissait de comptes rendus de réunions. Son étonnante mémoire des dates et des chiffres la fit apprécier des plus âgées. Elle s'intégra bien au groupe, se fit des amies parmi les autres collaboratrices du journal et entra dans les bonnes grâces de Marie, la fille de Marie-Mère. D'une nature expansive, Gabrielle parlait facilement, se laissait aller à ses colères ou à ses émerveillements; au sein d'une atmosphère parfois tendue, on appréciait ses mouvements d'humeur autant que ses fous rires. Naturellement, il s'en trouva pour dire que la jeune Provencher était devenue le chouchou de la présidente. On murmura qu'elle était une opportuniste, surtout quand on se mit à parler de la possibilité d'envoyer une troisième personne au Congrès international des ligues catholiques féminines, les regroupements anglophones ayant décidé d'y envoyer trois déléguées.

Gabrielle avait entendu parler de cette éventualité, mais quand Georgette lui annonça que Marie-Mère avait pensé à elle pour les accompagner à Rome, elle resta muette, incapable de s'abandonner à son émotion. Comme pour se prémunir d'un plaisir trop grand, elle garda le silence durant quelques secondes et, sans sourire, sans même marquer de contentement, elle se tourna vers la fenêtre où une petite neige poudrait sous les pâles lampadaires du boulevard Saint-Laurent. Georgette trouva cette attitude curieuse et la mit sur le compte de la surprise. En vérité, Gabrielle ne se croyait pas autorisée à faire un pareil voyage; à ses yeux, un séjour dans les vieux pays représentait une sorte de privilège réservé à des gens riches et cultivés. «C'est impossible, je ne pourrai jamais», finit-elle par murmurer, à regret.

Il lui fallut une nuit d'insomnie et des heures de lutte intérieure pour se persuader qu'elle n'était pas indigne d'un tel voyage. Bien sûr, elle aurait l'impression de trahir Adrienne et ses cousines en y allant, on pourrait dire qu'elle essayait de sortir du rang et la traiter de petite prétentieuse, on pourrait dire qu'elle avait honteusement détourné l'argent de sa dot à des usages frivoles... Mais qu'en serait-il si elle refusait cette chance unique? N'allait-elle pas s'en vouloir et se détester toute sa vie?

Évidemment, elle aurait préféré être la jeune femme vertueuse qui sait résister aux agréments qu'on lui propose, elle aurait aimé se croire à l'abri de ces plaisirs futiles qu'on dit plus éphémères que formateurs. Mais elle avait nourri trop de rêves, elle était trop avide de nouveaux paysages pour consentir à se priver d'un tel bonheur. Se priver, mais pour qui? Gabrielle Provencher ne voyait pas très bien à qui pourrait profiter son sacrifice. Des sacrifices, elle en avait déjà fait à la douzaine et ils n'avaient jamais servi à personne. Et la petite somme d'argent que sa mère avait mise de côté afin qu'elle en fasse usage au moment de sa majorité était encore intacte; bien sûr, il avait été plus ou moins convenu qu'elle l'utiliserait lorsqu'elle quitterait la maison mais... elle était de moins en moins certaine de se marier. Elle aimait son travail de libraire, appréciait les heures passées à la Fédération et ne se voyait pas tellement en train de fonder une famille. Petit à petit, elle commençait à prendre conscience de ses aptitudes. Déjà, en moins de deux mois, elle avait appris à taper à la machine et fait la connaissance d'une foule de gens qu'elle n'aurait jamais osé saluer si elle les avait croisés dans la rue.

Au bout de deux jours de monologues intérieurs, elle ne trouvait plus une seule raison de ne pas aller à Rome. Elle se confia à Blanche, une amie d'enfance avec qui elle avait pris l'habitude de visiter les petits malades de l'hôpital Sainte-Justine. Blanche était une jeune fille de grande intégrité morale, qui avait fait un an de noviciat avant de s'avouer qu'elle ne possédait pas la vocation religieuse. C'est elle qui l'encouragea à accepter cette invitation à se dépasser.

Alors commencèrent pour Gabrielle des semaines de pure euphorie; il n'y eut pas de plus beau printemps que celui-là. Elle voyait toute chose avec des yeux neufs; il lui semblait participer intimement au réveil de tout ce qu'elle avait vu s'engourdir et se figer sous la neige. Elle avait l'impression de sortir d'une période de longue hibernation; elle était cette poussière qui dansait dans la lumière, petite, minuscule et insignifiante mais en mouvement, vivante. Elle s'émerveillait d'un rien, goûtait au simple plaisir de marcher; elle était cette jeune femme qui avançait sur les trottoirs de bois avec une assurance tranquille et qui foulerait bientôt les vieux pavés du

Vatican. Elle se disait en elle-même: tous les chemins mènent à Rome, et elle en riait tout bas. De tous ses sens, elle sollicitait ce bel éveil au printemps, respirait comme on avait dû le faire au premier matin du monde, avec le goût de partir à l'aventure.

Elle se mit à fouiller dans les livres afin de préparer son voyage. À la Fédération, on la vit plus que jamais à son affaire, s'appliquant à mémoriser toutes les résolutions qu'on voulait proposer. Elle désirait être à la hauteur, connaître parfaitement les dossiers. À chacun des congrès des ligues catholiques féminines, on traitait de nombreux sujets concernant des questions d'actualité. Avec l'aide de la fille de Marie-Mère, Gabrielle fit une recherche bien documentée concernant les droits civiques des femmes. Elle apprit avec étonnement que certains pays qu'elle croyait à l'avant-garde en matière de droits féminins refusaient encore le suffrage aux femmes. De nombreuses déléguées représentant tous les pays d'Europe et des deux Amériques seraient présentes au Congrès; Gabrielle aurait donc l'occasion de discuter avec elles et de comparer leur situation. Soucieuse de pouvoir correctement converser avec des Italiennes, Gabrielle tenta même d'apprendre quelques rudiments d'italien; touché par sa bonne volonté, son patron lui fit cadeau d'un petit dictionnaire.

Gabrielle planait: jamais elle n'avait éprouvé pareille sensation de liberté. L'univers était à sa portée, grand ouvert devant elle, et elle allait l'explorer. Elle tomba de haut quand son père lui refusa la permission de partir.

5

Charles Provencher n'avait pas montré son désaccord tout de suite; en apprenant la nouvelle, il avait semblé content, lissant et polissant les poils de sa petite moustache de militaire. Bien sûr il avait été surpris comme tout le monde, comme Gabrielle elle-même, et puis, comme presque tout le monde et comme Gabrielle, il avait éprouvé un sentiment de fierté. C'est du moins ce qu'il voulut laisser croire, parlant peu, se contentant de quelques observations à peine plus acides que de coutume au sujet des absences répétées de sa fille.

Si Gabrielle avait été plus attentive, peut-être aurait-elle pu noter quelques signes de mécontentement de sa part ou remarquer son peu d'empressement à commenter le voyage, alors qu'il connaissait des quantités d'histoires concernant les croisières dans les vieux pays. Mais absorbée comme elle l'avait été au cours des derniers jours, Gabrielle n'avait rien vu, rien entendu, rien suspecté. Et, naturellement, quand, moins de deux semaines avant le départ, son père lui refusa la permission de partir, elle ne comprit pas. Elle fut comme assommée; il lui sembla qu'on venait de lui arracher quelque chose d'important; on venait de lui voler une partie d'elle-même.

Sous le choc de l'interdiction, elle ne réagit pas immédiatement. De la même manière qu'elle avait accueilli l'invitation au voyage, elle resta immobile et fut incapable de parler, regardant fixement le rectangle de la fenêtre de la cuisine où voguaient de beaux nuages blancs. Elle se demanda pourquoi elle n'avait pas envie de pleurer; avait-elle su dès le début qu'elle ne partirait pas? Elle demeura plusieurs heures dans un état second avant de chercher à comprendre.

Pourquoi son père avait-il tant attendu pour lui faire connaître son désaccord? Qu'il ait mis près d'un mois à se prononcer signifiait à coup sûr que quelqu'un d'autre était intervenu et avait su influencer sa décision. Mais, si c'était le cas, qui était donc cette personne au pouvoir redoutable? En vain, Gabrielle tourna et retourna la question dans sa tête, échafaudant des hypothèses qu'elle écartait à mesure, son père n'étant pas homme à se faire dicter sa conduite ni par Paul-Étienne Després ni par un curé ou un évêque. Ni même par Marie-Mère, en admettant que cette dernière eût elle aussi désapprouvé subitement le projet, ce qui n'était pas le cas, Marie-Mère allant être au contraire très ennuyée de cette contrariété de dernière minute. Mais Gabrielle était dans une confusion telle que rien ne lui paraissait vraiment impossible. Comment aurait-elle pu imaginer qu'un homme au jugement aussi sûr que son père pût entrevoir ce voyage autrement que comme un moyen pour elle de s'épanouir et de s'ouvrir à d'autres connaissances?

Les ordres ou les demandes de son père n'ayant jamais été bien difficiles à satisfaire, jamais auparavant Gabrielle n'avait eu à les discuter ou à contester l'autorité paternelle. Mais devant ce qui lui paraissait une interdiction injuste et arbitraire, elle trouva légitime de demander une explication. Peut-être avait-elle encore une chance de le faire changer d'idée...!

— Si au moins je connaissais vos raisons, il me semble qu'il me serait moins difficile de vous obéir. Comprenez-moi, j'ai besoin de savoir pourquoi vous m'imposez un si grand sacrifice, j'ai besoin de savoir pourquoi vous me demandez de renoncer à un projet aussi emballant.

L'homme le savait-il lui-même? En tout cas il ne voulut rien en dire. Devant ce silence hostile, Gabrielle osa insister.

— Si j'ai commis une faute, c'est bien involontairement, et je vous demande de m'excuser. Mais si vous voulez que je la répare, ne vaudrait-il pas mieux que vous me disiez ce que j'ai fait ou ce que vous me reprochez? Il me semble que je n'ai pas manqué à mes devoirs envers vous, je me suis même démenée plus que d'habitude ces jours derniers, ne l'avez-vous pas remarqué?

C'était vrai, toute pleine d'énergie, Gabrielle avait joyeusement empiété sur ses heures de sommeil pour cuisiner de gros chaudrons de ragoût de porc, des crêpes, des gâteaux secs et des biscuits aux noix, préparant pour des jours à l'avance des plats que son père appréciait. Avait-elle poussé le zèle trop loin? Elle ne savait que penser.

— Est-ce à cause de l'argent de maman? Ne m'avez-vous pas dit que je pouvais en faire ce qui me plairait?

Elle n'obtint pas davantage de réponse et, devant une attitude butée sans doute inspirée par la mauvaise foi, elle céda à l'impatience:

— Je ne vous comprends pas, on dirait que vous ne me jugez pas capable d'apprécier vos arguments!

Charles Provencher finit par ouvrir la bouche mais ce fut pour dire d'une voix sèche:

— Je n'ai pas à te fournir d'explication, ma fille; je veux seulement que tu saches que j'ai pris cette décision pour ton bien.

Gabrielle sursauta; la semaine précédente, il avait servi la même réplique à Adrienne, lui refusant une sortie avec des amies de sa classe. Sur le moment, Gabrielle n'avait pas bronché; la directive était raisonnable, Adrienne étant trop jeune pour rentrer le soir après huit heures. Elle n'avait toutefois pas fait attention à l'accent autoritaire que son père avait utilisé ce jour-là; elle le reconnaissait à présent, c'était la même voix ferme, le même ton bourru et tranchant qui ne souffrait pas de réplique. Elle sentit monter sa colère et dit en haussant le ton:

— Vous pensez peut-être que je suis incapable de comprendre? Savez-vous que vous êtes en train de me traiter comme une enfant d'école...? J'ai vingt-deux ans, papa, qu'est-ce qui vous donne le droit de décider pour moi?

Il la fixa sans dureté mais sans tendresse.

— Je suis ton père, dit-il simplement.

Gabrielle baissa la tête et serra les poings. Ces paroles eurent l'effet désagréable du bruit d'une porte qu'on referme brutalement; pour la première fois, elle ne ressentit pas de respect envers celui qui les avait prononcées et qu'elle avait placé plus haut que les autres.

Oui, elle avait aimé d'amour cet homme qui l'avait tenue dans ses bras pour lui faire voir le monde d'un peu plus haut. Et c'est avec sa main de petite fille dans la sienne qu'elle était partie à la découverte de ce qui sentait bon, de ce qui était beau et vivant: les rues et les ruelles où flottaient de bonnes odeurs quand passaient les voitures de frites ou de fèves au lard, les chevaux qui les tiraient et qu'elle pouvait approcher et toucher doucement en sa présence, les boutiques et les magasins où il la présentait toujours avec un brin de fierté, au cordonnier, au cireur de chaussures et aussi au barbier, la juchant lui-même sur le grand fauteuil de cuir sombre, lui glissant une planchette de bois sous les fesses afin qu'elle soit à la hauteur et qu'elle puisse discuter comme un homme en se faisant couper les cheveux.

Son père lui avait tout montré, elle avait tout appris de lui, avalant ses mots et les retenant précieusement pour ensuite les lui répéter dans le but de le faire sourire: le nom des rues et celui des parcs où ils avaient déambulé ensemble, le nom des fleurs et celui des bateaux naviguant sur le grand fleuve. Elle vénérait ce géant qui avait réponse à toutes les questions, qui savait ce qu'il y avait à l'intérieur des maisons ou des entrepôts mystérieux aux fenêtres grises. Il connaissait les trains et les tramways par leur numéro, et aussi, plus haut et plus loin, ce qu'il y avait derrière la montagne de la ville, et plus loin encore, au-delà de la cité couchée à leurs pieds, de l'autre côté de l'horizon. Il savait les mots pour nommer les objets, les gens et les pays, il était celui qui connaissait tous les petits signes inscrits dans les livres. Grâce à lui, Gabrielle avait pu apprendre à les décoder à son tour. Apprendre à avancer doucement sans rien redouter et compter sur la présence et sur la sagesse d'un père pour contourner les obstacles. Car il y avait des chemins à éviter, cela aussi, il le lui avait appris. Il lui avait parlé de l'injustice des guerres, l'avait mise en garde contre le mauvais côté des choses, lui avait communiqué ses croyances et ses doutes.

Après lui avoir tant donné, n'était-il pas normal qu'il exigeât son attachement? «Tu seras mon bâton de vieillesse», lui avait-il dit alors qu'elle n'avait pas encore cinq ans. En entendant la petite phrase, cent fois répétée ensuite, Gabrielle se raidissait en riant, guère plus haute que les jambes du colosse, et répondait avec ferveur un «oui» qui résonnait comme celui de la fiancée devant l'autel.

Bien sûr elle avait grandi ensuite et dépassé le géant d'un peu plus de deux pouces, exploit dont elle aimait se vanter pour le taquiner. Pourtant, même s'il était moins grand que dans son souvenir, l'homme avait gardé sa prestance. Les défauts de son père, Gabrielle les connaissait et les avait tous excusés. Son orgueil était bien placé, ses critiques étaient constructives et il ne faisait que de saintes colères. Mais en l'encourageant à demeurer l'homme qu'elle admirait, en lui passant tous ses caprices, elle ne s'était pas méfiée. Certes, le sentiment exclusif qu'il lui manifestait avait déjà laissé planer des menaces de disputes, mais Gabrielle avait préféré ne pas les alimenter, plutôt flattée par cette tendresse envahissante qui la grandissait à ses propres yeux. Vaniteuse Gabrielle; au fond, elle était pareille à lui, vaniteuse et orgueilleuse!

Ils se ressemblaient tant; il lui aurait fallu se sous-estimer elle-même pour croire que son père eût subi une quelconque influence. Gabrielle dut le reconnaître, personne n'était venu le voir afin d'orienter sa décision, elle le savait, tout cela n'était que des mensonges qu'elle s'inventait pour mieux se cacher une vérité plus difficile à admettre. Charles Provencher n'était pas devenu subitement un monstre d'égoïsme, il l'avait toujours été. Il avait toujours agi ainsi, protégeant jalousement leur petit bonheur tranquille. Et c'est Gabrielle qui l'y avait encouragé; car pendant tout ce temps, elle avait été sa complice. Tant que leur amour exclusif ne leur avait pas nui personnellement, ils avaient pu vivre repliés sur eux-mêmes, dépendants l'un de l'autre et satisfaits. Mais la perspective de ce deuxième voyage était venue menacer le bonheur du père; il avait mal supporté le premier et craignait de voir partir sa fille qu'il sentait s'échapper un peu plus chaque jour; il avait voulu la retenir comme il l'avait fait des milliers de fois quand elle était enfant.

Son père avait raison, Gabrielle était irrésistiblement attirée hors du cercle familial; depuis quelque temps, elle se sentait poussée par un vent mystérieux qui semblait l'éloigner de la maison et l'entraîner ailleurs. Inconsciemment peut-être, elle se détachait de lui; pouvait-elle raisonnablement lui en vouloir alors que c'était elle qui partait?

Le silence était retombé entre eux, l'homme avait commencé à se bercer, en apparence tranquille, en paix avec lui-même. Gabrielle entendait le bruit que faisaient les berceaux en touchant le plancher de bois; les planches grinçaient sous le poids de son père comme elles le faisaient depuis plus de vingt ans. Mais aujourd'hui le bruit irritait Gabrielle comme l'irritait la vue de cette fenêtre donnant sur les hangars de la ruelle. Les objets familiers l'exaspéraient, l'escabeau de bois sur lequel son père avait l'habitude de grimper pour ouvrir le vasistas, la soucoupe ébréchée dans laquelle il déposait ses clés en rentrant, tout cela l'indisposait; même ce qu'elle avait chéri lui paraissait vieux, usé, terne ou repoussant. Gabrielle éprouva une sorte de nausée en voyant la pipe de son père négligemment posée sur la nappe de dentelle, une pipe salie d'où s'échappaient des brins de tabac. Les vapeurs de la soupe au chou avaient embué les vitres et rendu la table humide au toucher.

Avant de quitter la pièce, elle leva les yeux sur son père et l'examina froidement, vit ses cheveux gras, ses doigts noircis par l'encre des journaux, ses souliers usés dont il s'était débarrassé en rentrant et qui semblaient faire le guet à côté de la porte. Elle le regarda sans tendresse, le vit comme le vieillard sénile qu'il n'était pas encore devenu.

Dehors il faisait soleil. Elle se leva et s'enfuit dans sa chambre.

6

Sa peine fut d'autant plus difficile à supporter que Gabrielle ne voulut pas la partager; elle essayait d'agir comme si rien ne s'était produit, comme si on ne lui avait jamais proposé un voyage à Rome. À la librairie, elle se lança dans un grand ménage; à la Fédération, elle aida Georgette à préparer les parutions d'été. Elle s'efforçait de paraître insouciante et enjouée, mais sa physionomie ne trompa personne; la ferveur s'était retirée de son visage: Gabrielle n'était plus la même. À la suite de son désistement, Marie-Mère résolut de se priver d'une troisième déléguée et décida de partir avec Georgette, comme il avait été convenu initialement. Toutefois, probablement dans l'espoir de la voir se ressaisir, elle confia à sa jeune protégée le soin de s'occuper de la publication de *La Bonne Parole* pendant son absence.

La plupart des chroniques avaient été préparées à l'avance et, à part quelques informations qui viendraient directement de Rome, il n'y aurait pas d'articles à mettre en pages. Ce n'était pas une tâche considérable, mais cette nouvelle distribution des rôles passa pour un privilège et déplut à des collaboratrices plus âgées qui s'estimaient plus expérimentées. Marie-Mère ne se soucia pas d'en mécontenter quelques-unes; elle voyait plus loin. «La jalousie est souvent ce qui tient lieu d'ambition aux médiocres, lui dit-elle avant de partir, ne te laisse jamais désarçonner par les envieux.»

Le matin du 4 mai, Gabrielle était au quai d'embarquement pour voir partir les voyageuses. Il est facile d'imaginer combien cela dut lui être pénible, comme cela avait dû l'être de participer aux préparatifs du départ. Marie-Mère fut émue en l'apercevant; bien que peu encline aux effusions, elle la serra chaleureusement dans ses bras avant de lui faire ses dernières recommandations. Gabrielle resta sur le quai longtemps après le départ du majestueux paquebot. Encore sous le choc, elle paraissait indifférente à ce qui l'entourait; elle ne voyait plus rien de ce qui l'avait mise en joie au cours des dernières semaines, elle avançait sans voir le printemps, sans regarder devant elle.

Les jours suivants, elle continua de se comporter distraitement et ne fit que de brèves apparitions au journal. C'est durant cette période, moins de deux semaines après le départ de Marie-Mère, qu'elle reçut une lettre de Québec. Émile Gariépy prévoyait un court séjour à Montréal à la mi-juillet et lui proposait de la retrouver «où bon lui semblerait, de préférence dans un endroit aéré et fleurant l'air marin». Il avait quelques jours de vacances et voulait en profiter pour visiter la métropole qu'il connaissait mal; Gabrielle consentirait-elle à lui servir de guide?

Ces mots eurent l'effet d'une brise fraîche et parfumée en ces jours de chaleur étouffante; la lettre était légère et bien tournée, le petit poème en alexandrins évoquant leur rencontre la fit sourire, le journaliste était moins grave qu'au cours de leur promenade sur les quais. Le ton humoristique ne cachait rien du sérieux de la démarche: la lettre comptait six feuillets couverts d'une écriture fine; c'était beaucoup plus qu'une simple missive. Émile souhaitait visiblement revoir Gabrielle, il attendait une réponse et laissait une adresse de retour.

Gabrielle parcourut la lettre et l'enfouit dans sa poche. Flattée qu'Émile se soit souvenu d'elle et qu'il ait trouvé moyen de la joindre, elle résolut de lui répondre et commença à tourner les mots dans sa tête. Mais une fois à la maison, elle changea d'avis. À quoi lui servirait de revoir le journaliste, où la mènerait cette sortie avec un étranger? Est-ce qu'elle n'allait pas encore vers d'autres désillusions? Dans l'état dépressif où elle se trouvait, elle entrevoyait plus de désagrément que de plaisir à la perspective d'une deuxième rencontre. Sans même céder à la tentation de la relire, elle glissa la lettre dans son dictionnaire d'italien, un livre qu'elle ne rouvrirait pas de sitôt. L'affaire était classée.

C'est néanmoins après cet épisode que son attitude se mit à changer. Depuis l'explication avec son père, elle n'avait pas eu d'autre conversation avec lui. Aussi butés l'un que l'autre, le père et la fille refusaient de se parler. Quand elle mangeait à la maison, Gabrielle expédiait son repas en silence pour aussitôt retourner à ses occupations. Dans sa chambre, elle passait des heures à frapper sur une machine à écrire qui faisait un tapage irritant. Bien entendu, elle avait abandonné ses séances de lecture à voix haute et cessé de rapporter des périodiques français; Charles Provencher dut se contenter d'éplucher les quotidiens de Montréal. Il trouva difficile de reprendre ses lectures en solitaire et de retomber dans ses vieilles habitudes; il supportait mal l'isolement dans lequel sa fille le laissait. N'ayant jamais été proche d'Adrienne, il ne se sentait pas capable de rechercher sa complicité. Par un fâcheux concours de circonstances, le jeune Paul-Étienne dut espacer ses visites; tout au long du mois de mai, le clarinettiste avait de nombreuses répétitions en vue de concerts qu'il préparait pour l'été.

Le père de Gabrielle regrettait-il d'avoir imposé à sa fille une privation dont elle semblait incapable de se remettre? Il est permis de penser que l'attitude de silencieuse soumission qu'il allait adopter contenait un peu de repentir. Car à partir du moment où Gabrielle se mit à se confiner dans sa chambre, il fit de louables efforts pour se rapprocher d'elle. Et plus il essayait, moins la jeune femme semblait prête à oublier leur mésentente. Quand son père s'essayait à la faire sourire, ses blagues tombaient à plat; Gabrielle haussait seulement les épaules sans cesser de s'activer et de s'appliquer à son travail. À ses questions, elle répondait brièvement, manifestement désireuse d'aller au plus pressé même pour des sujets qui l'avaient passionnée jadis. Peu à peu, sa mauvaise humeur l'emportait sur sa peine.

Rien de ce que faisait son père ne trouvait grâce à ses yeux. Elle commença par lui reprocher des petites habitudes qu'elle n'avait jamais relevées auparavant. C'étaient souvent des négligences, ses chaussettes qu'il avait coutume de rouler en boule et d'abandonner au pied de son lit et qu'elle devait déplier une à une avant de les laver, les journaux qu'il déployait sur la table sans égard pour la belle nappe de dentelle qu'elle devait passer au bleu, les miettes de pain qui roulaient sous sa chaise après les repas, toutes choses qui n'avaient jamais semblé l'agacer avant. L'homme répliquait mollement, s'essayait à quelques ripostes, lui reprochant à son tour ses occupations à l'extérieur. Mais Gabrielle ne baissait plus les yeux en soupirant; sa voix prenait de l'assurance quand elle avait à se défendre.

Elle s'impatientait. Son père devenait-il gâteux? Il oubliait tout, la pelle dans le carré à charbon, la glace dans l'escalier; encore hier, il avait laissé le lait sûrir, faute de l'avoir rangé à sa place. Quel gaspillage! Les reproches se multipliaient, et pas toujours pour des oublis; chaque jour, la moindre maladresse, la plus petite négligence était commentée, analysée, condamnée. L'homme qui se serait rebiffé auparavant répliqua avec de moins en moins d'énergie, résista de plus en plus rarement; il commença à rentrer les épaules. Un jour où elle était particulièrement pointilleuse, lui reprochant d'enfumer la maison avec son tabac bon marché, n'y tenant plus, il protesta: «Tu es injuste, Gabrielle!» Le regard qu'elle lui jeta le cloua sur sa chaise; il ne dit plus un mot.

Même si Gabrielle n'avait pas planifié sa vengeance, elle se rendit compte que les coups finissaient par porter: son père baissait la tête. Le voyant si penaud, le sentant malheureux, de temps à autre elle se reprochait son mauvais caractère, essayait de se contenir puis, deux minutes plus tard, se surprenait à le chicaner. Ses multiples frustrations lui paraissaient impossibles à surmonter. Tout l'excédait, tout ce qu'elle avait aimé chez cet homme lui déplaisait à présent; avec un étonnement douloureux, elle découvrait que l'amour peut se transformer en haine. Quel gâchis!

Chagrinée par la rancune qu'elle ressentait envers cet homme pour qui elle avait encore un certain respect, Gabrielle essaya de prendre ses distances et se jeta dans le travail. Par chance, il arriva bientôt des nouvelles de Rome qui la forcèrent à passer des soirées entières au journal. La première lettre de Marie-Mère était optimiste; la présidente de la Fédération se disait satisfaite des recommandations des congressistes et avait bon espoir de rencontrer le Saint-Père. Cependant, moins d'une semaine plus tard arriva une lettre nettement moins joyeuse. «Nous attendions une résolution claire et précise; au lieu de cela, nous nous retrouvons avec des vœux pieux.» Suivait le texte de ces fameuses conclusions concernant l'éducation civique des femmes où l'on émettait les recommandations suivantes:

1. Que les femmes de tous les pays comprennent leur responsabilité morale en face du suffrage électoral quel qu'en soit le mode.

2. Que les femmes se préparent à leur rôle par une formation morale, religieuse et civique qui les rende aptes, le cas échéant, à cet apostolat.
3. Que toute nouvelle initiative, sur le terrain du suffrage féminin, soit soumise d'avance dans chaque pays à l'approbation de l'Épiscopat.

Le dernier paragraphe disait bien tout le travail de grenouillage accompli par les dirigeants du haut clergé québécois; la question du droit de vote féminin demeurait sous leur entière responsabilité. «Monseigneur Pizzaro qui m'avait promis une rencontre avec le Saint-Père s'est excusé à la dernière minute, continuait Marie Gérin-Lajoie, mais il m'a assurée qu'il avait informé le pape et l'avait sensibilisé à nos demandes.»

Cependant on chuchotait dans les salons que «certains hommes politiques influents» s'étaient également rendus à Rome dans le dessein d'obtenir une audience. Ces rumeurs n'étaient peut-être pas fondées; par contre, on apprit que le directeur du journal *Le Devoir* avait fait un voyage en Europe au moment où avait lieu le Congrès. Connaissant la farouche détermination d'Henri Bourassa, il n'était pas irréaliste de supposer que le journaliste eût pu se rendre à Rome et obtenir un entretien avec Pie XI par l'entremise du très aimable et très poli monseigneur Pizzaro.

Même après le retour de Marie-Mère et de Georgette, on ne put confirmer cette supposition, pas plus qu'on ne put affirmer que les femmes favorables au droit de vote avaient été victimes d'un complot bien orchestré. Mais quand elle apprit la menace qui pesait sur sa protectrice, Gabrielle n'eut pas de doute, les évêques de la province de Québec avaient décidé de se liguer contre les suffragettes en marquant leur opposition auprès de leurs confrères romains. Comment interpréter autrement cette mise en garde que Marie Gérin-Lajoie reçut de l'archevêque de Québec, lequel lui signifait clairement de mettre fin à ses activités «féministes»? Des rumeurs se mirent ensuite à circuler: si madame la présidente refusait d'obéir, on lui retirerait la permission d'exposer le Saint-Sacrement dans la chapelle de la Fédération.

La femme sincère et pieuse qu'était Marie Gérin-Lajoie, celle qui avait milité pour d'innombrables œuvres de charité, qui avait lutté contre la tuberculose, la mortalité infantile et les conséquences néfastes de l'alcoolisme et de la délinquance, celle qui avait toujours fait preuve du plus grand respect envers les membres du clergé, fut profondément blessée par cette tentative d'intimidation si peu conforme aux préceptes de l'Évangile.

— On cherche à me punir, mais de quoi? Toute ma vie, j'ai obéi à l'Église, j'ai suivi les commandements dictés par les apôtres sans jamais les discuter. Que peut-on me reprocher? Ma persévérance? Mon acharnement à croire en la dignité des femmes? Oh! Gabrielle, je suis si fatiguée! Il m'arrive de penser que nos efforts sont inutiles. On dirait que certaines personnes nous croient incapables de réfléchir et d'accomplir des gestes logiques et conséquents. Elles agissent comme si les femmes étaient indignes de faire partie de la condition humaine!

Jamais Gabrielle n'avait vu cette petite grande dame, la première à réclamer la pleine capacité juridique des femmes de sa province, se laisser aller ainsi à un peu de découragement. Ce fut la première et la dernière fois; peu après son retour, elle remit sa démission en tant que présidente du Comité provincial du suffrage féminin.

Au sein du mouvement, le départ de Marie Gérin-Lajoie engendra une longue période de remise en question; Gabrielle entrait dans un purgatoire qui durerait quatre ans.

7

Il arrive que d'importantes portions de vie soient plus ou moins rayées de la mémoire; quand on s'essaie à les évoquer, on s'aperçoit qu'il n'en reste que des images brouillées, faciles à confondre avec des souvenirs plus proches ou plus lointains. Dans la plupart des cas, pour la plupart des gens, la monotonie et l'ennui sont à l'origine de ces trous de mémoire, agissant à la manière de puissants décapants, diluant et effaçant les souvenirs, rien n'étant plus semblable à une journée sans soleil qu'une autre journée sans soleil. Et, pour Gabrielle Provencher, les journées contenues entre les années 1922 et 1926 allaient ressembler à une suite ininterrompue de jours de pluie.

«Vide», écrirait-elle à Blanche beaucoup plus tard, car durant ces années sombres elle n'allait laisser aucun témoignage écrit, «j'avais l'impression d'être vide comme si j'avais pu m'absenter de mon corps et mener en dehors de lui une existence parallèle. Normale en apparence, j'étais dépourvue d'émotions. Je n'éprouvais ni remords ni haine pas plus que je ne ressentais de joie; je n'avais même plus hâte d'arriver au lendemain. Je pense pouvoir comparer mon état à celui dans lequel certains animaux se plongent durant l'hiver; j'étais engourdie. Je ne pouvais pas penser ou réfléchir; comme mon corps, mon esprit demeurait dans un état d'inquiétante insensibilité. J'ai vécu ces années comme si je n'étais plus personne.»

Ce fut donc un temps de grand dénuement, une sorte de traversée du désert dont Gabrielle allait revenir humiliée. Cela explique en partie le peu de souvenirs qu'elle allait en garder; elle affirma qu'il ne s'était rien passé. Bien sûr, avec le recul, elle allait reconnaître la nécessité de cette période de repos, mais on peut supposer que, fière et active comme elle l'était, le rappel de ces moments de passivité lui était désagréable.

On sait cependant qu'elle poursuivit sa collaboration au journal durant toute l'année suivante même si, après la démission de Marie-Mère, on la vit moins souvent dans le bureau du boulevard Saint-Laurent. Par contre, elle se rendit fréquemment à l'hôpital Sainte-Justine où elle s'occupait de faire la lecture aux enfants malades. Cette activité reste par ailleurs assez mystérieuse puisque jamais auparavant Gabrielle ne s'était montrée attirée par les enfants, du moins pas avant qu'elle n'entreprît ses visites à Sainte-Justine. Peut-être est-ce au contact de ces petits malades qu'elle acquit des aptitudes à s'occuper d'enfants? Quoi qu'il en soit, Gabrielle n'aimait pas qu'on la complimente à ce sujet, disant qu'il n'y a aucun mérite à cela. Elle refusa toujours de parler de son attachement pour les petits malades, de sorte qu'il est difficile de savoir si elle poursuivit ses visites par goût, par altruisme, ou pour s'excuser de son peu d'empressement à prendre soin des enfants de ses cousines.

Si Gabrielle conserva peu de souvenirs de ce temps-là, c'est aussi parce qu'elle se désintéressa des grandes questions d'actualité. Au dire d'Adrienne, elle ne lisait plus que de petits romans à vingt sous qu'elle dévorait dans sa chambre jusqu'à des heures indues. Elle cessa également de collectionner les illustrations de paquebots découpées dans des revues européennes, mais une photo datée de 1926 trouvée plus tard entre deux exemplaires de *La Bonne Parole,* photo représentant Gertrude Éderlé, la première femme à traverser la Manche à la nage, prouve qu'elle continuait de feuilleter les magazines et les journaux. Évidemment, il lui était facile de se les procurer à la librairie; on peut donc supposer qu'elle continua à s'informer et à suivre de loin les événements internationaux de même que les manifestations des Françaises qui revendiquaient les mêmes droits que les femmes de la province de Québec.

Le reste de son temps, elle le passait rue Sainte-Catherine, dans la petite librairie où elle se sentait plus propriétaire qu'employée. Son patron, un homme au tempérament bohème, aussi taciturne qu'il était passionné de lecture, s'était vite aperçu que Gabrielle était plus douée que lui pour faire circuler les clients entre les rayonnages; il la laissait pratiquement libre de gérer son petit commerce à sa guise. Elle s'occupait de tout, de la vitrine, du ménage, de la comptabilité, monsieur Chapados se réservant uniquement la tâche de commander les livres. Il tenait à dresser lui-même les longues listes de volumes, qu'il rédigeait de sa belle écriture soignée. Gabrielle lui avait proposé de les taper à la machine, mais il aimait écrire, disait-il en guise d'excuse. Ils formaient un couple disparate, lui, souvent silencieux, courbé sur ses papiers ou en train de feuilleter précieusement un livre, son éternelle cigarette au coin des lèvres; elle, sans cesse en mouvement, curieuse, efficace, empressée. Dès qu'elle cessa de se rendre à la Fédération, elle doubla pratiquement ses heures de travail. Pour la première fois de sa vie, elle put faire des économies.

Durant quatre années consécutives, elle passa ses huit jours de vacances à Saint-Hyacinthe. Au début, son père avait dû insister pour qu'elle l'accompagnât chez son frère; les efforts de Charles Provencher pour sortir sa fille de sa léthargie se heurtaient à une solide résistance. Leurs rapports ne s'étaient guère améliorés durant l'été quoique Gabrielle eût cessé de tourmenter son père pour des riens. Elle vivait plutôt dans une sorte d'indifférence qui le peinait énormément. Il se plaignait de son manque d'enthousiasme; lui-même se disait moins vaillant à l'ouvrage, il se sentait devenir vieux, ses forces déclinaient, sa santé lui donnait peut-être déjà du souci. Chose certaine, il était moins porté à discuter ou à argumenter. Il préférait le calme, il avait besoin de grand air. «Du bon air parfumé de la campagne qui vous emplit les poumons et qui vous pénètre jusqu'à l'âme.»

Gabrielle appréciait l'atmosphère de la ferme de l'oncle Victor, elle aimait les travaux des champs, surtout quand il s'agissait de conduire la gerbière ou la charrette à bœufs. Elle aimait la solidarité qui unissait ses cousines, mais leur attitude rébarbative face à toutes les idées plus ou moins neuves qui circulaient en ville l'exaspérait souvent. C'est vraisemblablement une dispute entre les deux aînées qui mit fin brutalement aux vacances à Saint-Hyacinthe.

Dans une lettre envoyée à Paul-Étienne durant l'été 1926, Adrienne y fit allusion, parlant d'une «violente altercation» qui aurait eu lieu entre Germaine et Gabrielle. L'expression peut sembler en contradiction avec l'état de passivité dans lequel Gabrielle était censée se trouver, mais on peut penser que c'est à partir de ce moment-là que la jeune femme commença à sortir de sa torpeur. Les raisons de la dispute sont demeurées obscures; il est possible que Germaine ait surpris Gabrielle en train de fumer une cigarette et qu'elle ait menacé sa cousine de «tout» révéler à son père.

C'est une hypothèse sensée, Blanche et Adrienne ayant toutes deux confirmé que Gabrielle fumait en cachette depuis l'été 1922. On ne sait pas qui l'aurait entraînée à contracter cette habitude; les opinions divergeaient sur ce point. Pour sa part, son amie d'enfance était certaine que le propriétaire de la *Librairie des deux mondes* avait fait partager à Gabrielle son goût immodéré pour le tabac tandis qu'Adrienne rapportait une tout autre version. Selon sa sœur cadette, c'est Gabrielle elle-même, le jour de l'anniversaire de ses vingt-trois ans, qui aurait demandé à Paul-Étienne sa première cigarette.

Elle aurait commencé à fumer pour défier l'autorité paternelle, sachant combien son père réprouvait cette habitude chez les femmes. En la voyant souffler de la fumée comme un homme, il aurait fait une scène épouvantable, mais Gabrielle aurait continué de lui tenir tête sans qu'il le sût. Cette interprétation est à retenir, le tempérament de Gabrielle se prêtant davantage à la révolte qu'à la soumission. Bref, on peut penser que c'est par défi qu'elle commença à fumer, mais il serait hasardeux d'affirmer que c'est ce geste anodin qui causa la brouille entre les cousines.

En effet, c'est tout le comportement de Gabrielle et d'Adrienne que les filles de Victor désapprouvaient. Par exemple, elles critiquaient la façon de se vêtir de leurs cousines. Sur une photo datant vraisemblablement de cet été-là, l'une des rares photos prises en plein air, on les voit justement en train de jardiner toutes les six. Si la petite robe sans manches d'Adrienne avait suscité des commentaires outrés, qu'avaient dû penser ces jolies femmes vêtues de jupes amples et de sages blouses à volants en voyant le pantalon que portait Gabrielle? Les chapeaux de paille à larges bords empêchent de voir les coiffures et les chignons, mais il est certain que la fille aînée de Charles avait ses épais cheveux noirs coupés court et droit au-dessous des oreilles comme elle les porta toute sa vie. Si Gabrielle n'était pas particulièrement coquette, elle appréciait les beaux vêtements, et sa tenue franchement audacieuse dut lui attirer des sarcasmes. La mode garçonne qui avait cours en Europe, plus particulièrement en France, était une «maladie» largement décriée par certains prêtres qui veillaient sur la bonne éducation des jeunes filles. Bien que Gabrielle ne se préoccupât aucunement de suivre les modes, on l'accusait de légèreté et de mauvais goût. On lui reprochait également de copier la mentalité masculine en dédaignant les tâches ménagères; Germaine aurait même laissé entendre que sa cousine n'était pas une vraie femme parce qu'elle préférait la compagnie des hommes de la maison à la cérémonie de la vaisselle.

Il entrait sûrement de l'exagération dans ces reproches mais ils devaient contenir un bonne dose de vérité. De l'envie également, les filles de Charles ayant toujours été considérées comme des privilégiées. Il est vrai que la vie à Montréal avait ses avantages et qu'une famille qui ne comptait que trois bouches à nourrir pouvait jouir d'une certaine aisance. Par exemple, si on la compare à ses cousines du même âge, Adrienne était particulièrement choyée: elle n'était jamais obligée de porter les vêtements de sa sœur et elle avait sa propre chambre. En quittant l'adolescence, elle avait reçu elle aussi sa part d'observations moqueuses au sujet de ses toilettes.

Elle en eut bien davantage au sujet de ses amours. Dans cette même lettre à Paul-Étienne, Adrienne écrivit encore: «Mes cousines me taquinent beaucoup et vous jugent bien volage. Mais comment pourraient-elles deviner le beau sentiment qui vous anime, vous qui m'avez attendue pendant si longtemps?»

La patience du prétendant de Gabrielle avait fini par s'user. Constamment découragé, Paul-Étienne s'était décidé à courtiser Adrienne; sérieusement épris l'un de l'autre, ils allaient se fiancer au printemps. La chose n'avait rien de surprenant; dans les milieux ruraux, c'était presque la coutume pour un jeune homme qui voulait se marier de fréquenter une sœur plus jeune si l'aînée l'avait repoussé. Mais pour les quatre filles de Victor, toutes mariées à dix-neuf ans, cela devint à coup sûr un sujet de plaisanterie, de discorde peut-être, qui eut pour effet de diviser les familles et de rapprocher les deux sœurs. En se portant à la défense d'Adrienne, on peut supposer que Gabrielle commença à réfléchir à voix haute. Avec étonnement elle s'entendit dire qu'elle n'était aucunement jalouse, qu'elle n'enviait pas Adrienne, qu'elle-même ne souhaitait pas se marier, qu'elle resterait libre. On pourrait la traiter de vieille fille autant qu'on voudrait, elle ne s'en souciait pas.

Ces paroles étaient sacrilèges pour des oreilles puritaines: le fait de refuser la vocation maternelle était contre nature. Mais l'aveu dut soulager Gabrielle d'un grand poids, elle qui se blâmait de n'avoir pas de prétendant. Blanche affirma en effet n'avoir connu à son amie aucune amitié masculine durant ces quatre ans, aucune histoire amoureuse. Adrienne ne la contredit pas sur ce point, sa seule réserve étant l'intérêt que portait à Gabrielle le propriétaire de la *Librairie des deux mondes* dont les attentions auraient contenu plus que l'habituelle reconnaissance d'un patron à l'endroit de son employée. Gabrielle éprouva-t-elle en retour autre chose que de l'admiration pour un homme qui aurait pu être son père? Le fait est que Gabrielle passa beaucoup de temps à la librairie jusqu'à l'été 1926. C'est l'année suivante que sa vie prit un nouveau tournant.

8

Par la porte grande ouverte, Gabrielle entendait le bruit des pneus qui roulaient sur l'asphalte mouillé; la neige fondait dans les rues. Elle aimait le bruyant défilé des voitures et des tramways, elle aimait entendre les fers des sabots claquer sur les pavés. Tous ces sons oubliés durant l'hiver réveillaient en elle des souvenirs heureux, la reliaient au grand mouvement amorcé dehors, sorte de renouveau auquel elle aurait voulu participer; c'était le printemps. Elle s'avança vers le carré de lumière, s'appuya à la vitrine de la librairie.

L'air sentait bon; elle resta quelques instants sur le pas de la porte à regarder. Il faisait doux et toute la ville était dehors; on aurait dit que chacun avait été aspiré par la température clémente de ce bel après-midi. Rue Sainte-Catherine, les vendeurs itinérants avaient arrêté leur petite voiture en plein soleil. Autour des étalages, les piétons marchaient, le pas alangui; les hommes portaient leur paletot sous le bras, les femmes avaient détaché le col de leur manteau. Montréal paraissait sereine et propre, bien loin de la réputation qu'on lui avait faite, celle de la ville la plus «ouverte» et la plus corrompue d'Amérique. Sous la lumière généreuse, les gens avaient tous l'air d'être en vacances. Gabrielle aurait voulu se mêler à cette foule paisible et nonchalante.

Son regard fut attiré par un reflet du soleil sur un carré de trottoir. Au dernier étage de l'immeuble voisin, un enfant se penchait à une fenêtre, une loupe à la main; il s'amusait avec le soleil. La fenêtre où il se tenait était délabrée, un volet largement troué claquait au vent. Comme un cœur à découvert, se dit-elle, étrangement émue.

Depuis quelque temps, il lui fallait lutter contre des images folles qui lui venaient à l'esprit et lui donnaient envie de pleurer. Ce n'était pas toujours la faute de son imagination. Hier encore, les larmes lui étaient montées aux yeux sans raison au moment où la fanfare passait devant chez elle. Il était ridicule de pleurer pour cela, il n'y avait rien d'émouvant dans cette musique surchargée de cuivres et de tambours, entendue des centaines de fois; le défilé d'hommes en uniforme n'avait plus rien d'impressionnant; l'émoi devait venir d'ailleurs.

N'empêche! Elle avait laissé les larmes jaillir et se rendre jusqu'à la pointe de ses cils, les traîtresses! Et devant son père en plus! Après elle s'était sentie un peu bête. Sensiblerie que tout ça! Est-ce qu'elle allait passer sa vie à se retenir de pleurer ou de rire? Elle avait cru que le fait d'avancer en âge lui retirerait ce trop-plein d'émotions, elle avait cru sottement qu'elle n'aurait jamais plus à lutter. Or, c'est chaque jour qu'elle devait se raidir pour ne pas se laisser submerger; à vingt-sept ans, elle n'avait pas gagné une once de sagesse.

Beaucoup de force néanmoins! Il est vrai qu'elle avait gagné en force ce qu'elle avait perdu en émois de toutes sortes. Elle avait acquis une solide résistance physique et, ce printemps, elle était pleine d'une énergie qui lui laissait des nuits d'insomnie pour faire le point. Il y avait de quoi être fière: après le grand ménage à la maison, effectué cette année sans l'aide d'Adrienne, elle avait réussi à achever toute seule la comptabilité de la librairie. C'était une bonne avance sur les travaux de rénovation qu'on entreprendrait bientôt; des tablettes supplémentaires allaient être nécessaires pour de nouvelles collections qui allaient causer bien du remue-ménage. Il faudrait sans doute songer à empiéter sur l'arrière-boutique, peut-être même à déménager dans un local plus vaste.

Monsieur Chapados ne voulait pas prendre de décision hâtive. Il redoutait le surcroît de responsabilités qu'entraînerait forcément un commerce plus achalandé et se jugeait assez prospère comme cela. C'était étrange, cette absence d'ambition, il semblait si détaché des biens de ce monde. À côté de lui, Gabrielle se jugeait terre à terre et radine, elle qui calculait tout, même la plus petite dépense, même le nombre de cigarettes qu'elle s'autorisait à fumer.

Un jeune garçon passa soudain à côté d'elle, sur sa bicyclette, la frôlant presque, et il la salua hardiment. Elle se détourna, rentra. C'était l'heure calme, la librairie était silencieuse et vide à part monsieur Chapados occupé à lire dans l'arrière-boutique. Mais quand il lisait, monsieur Chapados était aussi présent qu'un chat qui dort. Il leva tout de même la tête quand elle alla chercher de quoi laver les vitrines, la regarda en souriant et sortit une cigarette de son paquet de Camel. Il la lui tendit sans un mot.

— Je ne veux pas gâcher mon plaisir, lui dit-elle en refusant d'un geste, je viens de faire provision d'un air cent fois meilleur. Il fait si beau aujourd'hui, vous n'avez pas envie d'aller vous promener?

Il la fixa en craquant une allumette.

— Avec vous? fit-il, mi-sérieux, mi-moqueur.

Gabrielle eut un mouvement d'impatience. Parce qu'il l'avait serrée de près, un soir de la semaine dernière, et qu'elle n'avait pas protesté, il avait changé d'attitude avec elle; lui, si respectueux auparavant, multipliait à présent des propositions à peine voilées.

— Je peux très bien me promener toute seule, lui lança-t-elle en riant, trop fort, beaucoup trop fort.

Elle avait éprouvé un plaisir coupable à se sentir désirée; une forte envie de se laisser aller lui était venue sous la pression chaude et insistante. Ce n'était qu'un moment de faiblesse, se dit-elle pour la centième fois. Elle remua bruyamment son seau pour échapper à une réplique gênante, mais monsieur Chapados s'était remis à sa lecture.

De retour à l'avant du magasin avec son attirail, elle vit une femme en train de bouquiner près de la caisse et s'approcha pour lui proposer son aide. Gabrielle ne reconnut pas Idola Saint-Jean tout de suite. Elle était plus âgée que dans son souvenir, elle avait plus de quarante ans certainement; quelques cheveux gris s'échappaient d'un béret bleu qu'elle portait de côté, à la française. Sa voix était la même toutefois, un peu rauque; le ton précipité rappelait l'audace avec laquelle elle avait parlé lors de la fameuse manifestation des suffragettes. Quand elle demanda à voir monsieur le propriétaire, Gabrielle n'eut plus aucun doute et la salua chaleureusement.

— Je suis gérante ici, je peux certainement vous renseigner à sa place.

Idola la félicita de la bonne tenue du petit commerce et, sans autres formalités, exposa le but de sa visite. Elle n'était pas venue pour acheter des livres mais pour en emprunter; elle désirait des ouvrages à caractère éducatif mais elle prendrait tout ce qu'on voudrait bien lui donner.

— Je viens vous demander la charité, ajouta-t-elle avec un bref sourire. J'ai besoin de livres pour monter une bibliothèque, un projet qui me tient à cœur en ce moment. Je sais, il existe déjà des bibliothèques publiques, dit-elle comme pour répondre à une éventuelle objection, mais la mienne sera spécialement destinée aux femmes. Vous savez combien les livres coûtent cher. La plupart des gens ne gagnent pas assez d'argent pour s'en procurer, particulièrement les femmes qui sont, vous avez dû le remarquer, beaucoup moins payées que les hommes.

Gabrielle hocha la tête sans conviction; elle-même n'avait pas à se plaindre et se jugeait plutôt chanceuse en regard d'Adrienne qui gagnait beaucoup moins dans une manufacture de vêtements. Idola n'attendit pas son acquiescement; elle enchaîna aussitôt.

— Afin de répondre aux besoins de celles qui ont rarement pu bénéficier d'autant d'années d'études que leurs frères, j'ai décidé de mettre sur pied une modeste bibliothèque. La formule a fait ses preuves, l'idée est d'offrir un bon choix d'ouvrages et de les louer à un prix très modique. Il va sans dire que les volumes traiteront principalement du féminisme et des droits civiques et que les abonnées pourront discuter de leurs lectures.

Du même souffle, Idola Saint-Jean résuma la situation. Depuis le départ de Marie Gérin-Lajoie, le Comité manquait d'enthousiasme. Il est vrai que la question du suffrage des femmes était devenue très impopulaire auprès des gens; les politiciens ne voulaient plus en entendre parler, même ceux du gouvernement fédéral qui avaient failli faire marche arrière. Au cours de la session parlementaire à Ottawa, une motion avait été présentée au Sénat demandant que les femmes ne puissent voter qu'à partir de trente ans.

— Savez-vous pourquoi elle a été rejetée? demanda Idola en haussant le ton. Parce que la même motion recommandait que les sénateurs fussent mis à la pension à soixante-dix ans. C'est une aberration; les hommes ne deviennent jamais vieux, je suppose!... Jolie mentalité, non?

Sans attendre de réponse, la féministe poursuivit son bilan. Pendant ces années où on avait mis le sujet en veilleuse, elle n'avait pas cessé ses activités. Six mois auparavant, elle avait ouvert un bureau de consultations gratuites afin de renseigner et d'aider les femmes; toujours dans le même but, elle avait organisé des réunions dans différents quartiers de la ville. Elle n'avait pas abandonné la lutte; une fois son projet de bibliothèque mis sur pied, elle comptait fonder un mouvement ralliant travailleuses et bourgeoises. Informer, éduquer les travailleuses était son leitmotiv; c'était pour elle la seule manière d'arriver à ses fins et d'obtenir un véritable droit de parole pour les femmes. Avant toute chose, il fallait leur donner les moyens de réfléchir et de s'exprimer. La prise de conscience était une étape nécessaire avant le regroupement.

Gabrielle écoutait, médusée. Quand Idola lui demanda poliment de ses nouvelles, elle s'aperçut avec stupeur qu'elle n'avait rien à raconter. Son travail de libraire était devenu son unique centre d'intérêt; tout ce qu'elle trouvait à dire concernait la *Librairie des deux mondes* et on en avait vite fait le tour. Elle dut s'efforcer de dissimuler son trouble, affirmant qu'elle n'aurait pas de mal à rassembler une trentaine de livres pour lesquels il y avait peu de demande et qui s'empoussiéraient sur les rayons. Elle promit de s'en occuper. Idola lui laissa une adresse, consulta sa montre et partit en coup de vent.

— Ne vous en faites pas, mon amie, je cours continuellement mais je suis toujours à l'heure, lui dit-elle en revenant trois secondes plus tard pour reprendre son porte-documents oublié sur le comptoir.

Henri Chapados était sorti de son repaire juste à temps pour apprécier la réplique.

— Quelle femme surprenante! dit-il, perplexe.

— Oui, c'est une vraie locomotive, fit Gabrielle songeuse, elle donne envie de partir à sa suite.

— Ce n'est pas mon avis, je préférerais vous suivre, vous, lui répliqua son patron, essayant manifestement de la faire rougir par un long regard insistant.

Gabrielle n'écoutait pas. Sa vie lui apparaissait soudain dans toute son insignifiance. Elle avait traversé un désert d'où elle sortait désemparée. Pendant ces quatre années, elle avait vécu repliée sur elle-même, alors que, dehors, le monde bougeait, avançait, évoluait. Qu'attendait-elle pour sortir de sa léthargie?

Elle ne mit que quelques minutes à parcourir les rayons pour rassembler une vingtaine de livres, mais il lui fallut beaucoup plus longtemps pour se décider à se rendre rue Sherbrooke. Après la fermeture, elle partit pourtant avec ses paquets mais hésita longuement, assise sur un banc du parc Lafontaine. Dans le modeste appartement qui lui servait de bureau, Idola Saint-Jean la reçut sans manifester de contentement. Elle avait l'air contrariée.

— Asseyez-vous et profitez-en, il n'y en a plus pour longtemps, mon propriétaire vient de résilier mon bail, annonça-t-elle en libérant un fauteuil.

La pièce était déjà encombrée de volumes qui s'empilaient un peu partout sur des tables, sans ordre apparent. Idola parlait sans cesser de consulter des dossiers devant elle.

— Je viens de perdre mon bureau et ma bibliothèque en même temps; c'est ici que je comptais l'installer. C'est un coup dur, je ne vous le cache pas. Je me serais bien passée de partir à la course aux logements au moment où mes étudiants ont plus que jamais besoin de ma présence, nous serons bientôt en pleine période d'examens à l'université mais…

Elle s'arrêta un instant de feuilleter un document, posa ses mains blanches et fines sur son bureau, regarda Gabrielle dans les yeux.

— Mais c'est un cas urgent, mon propriétaire a besoin de ce local pour y loger des parents qui viennent habiter en ville; les pauvres, ils sont en train de mourir de faim sur leur terre. Vous imaginez une famille ici, dans quatre pauvres petites pièces? Enfin, c'est pour une bonne cause, je sais…

Son silence ne dura qu'un instant.

— Avez-vous remarqué que c'est toujours pour une bonne cause que les hommes vous envoient gentiment promener? Avez-vous remarqué qu'ils ont toujours de bonnes raisons pour justifier leurs actes...?

Gabrielle était désarçonnée; Idola l'intimidait autant qu'elle la charmait. Elle ne savait que dire.

— Je tombe mal, excusez-moi, je ne vous dérangerai pas plus longtemps.

— Mais tout le monde me dérange, mon amie, et vous savez, c'est très bien ainsi. J'aime bien être dérangée, cela me stimule! D'ailleurs, vous devriez être fière: il vaut mieux faire partie de ceux qui dérangent que de ceux qui ne font rien. N'est-ce pas?

De plus en plus embarrassée, Gabrielle fit un mouvement pour se lever.

— Oui, mademoiselle... J'aurais bien aimé vous être utile. Je suis désolée pour votre projet, je suppose que vous préférez que je rapporte les livres...

Idola se pencha sur les paquets, regarda rapidement les titres, apprécia.

— Il n'en est pas question, ce sont de très bons livres. Mais je vous en prie, ne m'appelez pas mademoiselle, j'ai l'impression de donner un cours, dites plutôt Idola, et sachez que je n'abandonne jamais un projet. Si vous voulez vraiment aider la cause des femmes, vous seriez bien aimable de me laisser ces volumes, tous écrits par des hommes, l'avez-vous remarqué? Et si vous pensez vraiment ce que vous dites et que vous avez un désir sincère de vous rendre utile, vous feriez bien de nous trouver un autre local. Celui-là est plutôt étroit pour y installer une bibliothèque, n'êtes-vous pas de mon avis?

Gabrielle regarda bêtement autour d'elle; cet appartement lui paraissait plus que convenable et même luxueux avec ses portes ornées de vitraux, ses boiseries claires et ses tables chargées de livres. Cette femme l'agaçait en lui demandant continuellement son avis. Ses manières directes, son ton sans réplique, presque dominateur, sa parfaite absence de gêne et son ironie mordante étaient cependant si séduisantes qu'elle ne pouvait que rester là à écouter en attendant la suite.

Cependant, Idola espérait visiblement une réponse; elle la fixait à présent en souriant d'un vrai sourire. Gabrielle inspira profondément avant de répondre; elle eut l'impression de se jeter à l'eau et crut qu'elle allait sombrer dans le ridicule en disant:

— Ce logement vous paraît peut-être petit et banal mais c'est probablement un palais à côté de ce que je pourrais trouver.

Elle hésita un quart de seconde.

— Mais je veux bien essayer de chercher.

Gabrielle garda ses yeux verts rivés dans le regard noir d'Idola. Celle-ci reprit:

— Vous semblez manquer de confiance en vous, Gabrielle. Toutes les femmes ont tendance à se sous-estimer, c'est un des effets dévastateurs de l'aristocratie des sexes; je vous expliquerai plus tard. Pour l'instant, ne dites pas «je vais essayer», dites «je vais réussir». Mais attention, je ne vais pas vous aider en vous disant cela, trouver un logement ne sera pas chose facile, je préfère vous prévenir tout de suite. Cependant, si vous êtes prête à relever le défi, je vous promets mon appui. Et mon amitié, ajouta-t-elle, en jouant avec l'anneau d'or qu'elle portait à l'auriculaire, son unique bijou, son seul signe de coquetterie.

Pendant quelques secondes Gabrielle garda le silence, cherchant une réplique qui aurait exprimé le beau mélange de sentiments qu'elle sentait sourdre à l'intérieur. Au lieu de cela, elle se leva et, après une courte hésitation qui parlait pour elle, pour la première fois de sa vie, elle tendit la main, comme un homme.

9

Au bout de deux semaines, Gabrielle avait réussi à entasser une douzaine de caisses de livres dans l'arrière-boutique de la *Librairie des deux mondes.* La majorité des libraires qu'elle avait approchés s'étaient montrés généreux; la plupart ne demandaient pas mieux que de se débarrasser de leurs rossignols; c'est ainsi, apprit-elle, qu'on appelait les invendables dans le jargon du métier.

Trouver un local se révéla par contre beaucoup plus difficile; quand le logement n'était pas insalubre, c'était le prix qui ne convenait pas. Le plus souvent, les propriétaires ou les concierges que Gabrielle rencontrait se montraient méfiants et lui faisaient subir un véritable interrogatoire, quand ils ne lui refusaient pas tout bonnement la visite. Un jour où Idola l'accompagnait dans ses recherches, elles se firent prendre pour deux femmes de mauvaise vie par un monsieur tout ce qu'il y avait de respectable; il les soupçonnait de vouloir ouvrir une maison de débauche. «Pauvre type va! lui lança Idola qui pouvait imiter l'accent parisien à la perfection, vous auriez avantage à fréquenter des maisons de lecture plutôt que des maisons closes!»

Ces situations amusaient Gabrielle.

— Vous prenez tout à la légère, observa Idola.

— Si vous saviez combien je me suis retenue, vous ne me le reprocheriez pas. C'est si bon de se laisser aller; vous n'avez jamais envie de rire, vous?

— Le rire est le propre de l'homme, répondit Idola en gardant tout son sérieux. Le rire, c'est encore l'homme qui se l'est approprié; comme tout le reste d'ailleurs. Dans un monde où la femme est considérée comme une moins que rien, un être sans âme qui n'a même pas droit au statut de *personne*, il n'y a pas de quoi rire, je vous assure.

Il valait mieux avaler les répliques grinçantes d'Idola avec un grain de sel. Selon elle, c'était souvent la faute des hommes; elle les accusait de tous les défauts. Mais si on réussissait à supporter son côté vindicatif, elle devenait la plus divertissante des femmes. L'esprit en continuelle ébullition, la repartie cinglante, elle était d'une intelligence vive et stimulante comme l'eau d'un ruisseau. Bien sûr, ce n'était pas une amie comme Blanche, douce, compréhensive et compatissante, toujours prête à écouter ou à faire des confidences. Idola ne parlait jamais de sa vie privée, de sa famille ou de ses amis; elle agissait comme si les gens de son entourage n'avaient aucune influence sur sa destinée. Gabrielle ne savait presque rien de cette femme distinguée manifestement issue d'une famille de notables et qui habitait Westmount, comme une Anglaise. Mais elle respectait sa pudeur, ne posait pas de questions indiscrètes.

En revanche, Gabrielle aimait se raconter et ne se privait pas de parler de ce qui la préoccupait. Idola l'écoutait, commentait, analysait les faits avec un plaisir non dissimulé, apportant un éclairage neuf, parfois cru et difficile à supporter. Avec elle, pas question de s'apitoyer sur son sort; ses raisonnements étaient toujours dictés par la logique. Par exemple, quand Gabrielle, encore qu'un peu hésitante, lui avait raconté l'épisode de son voyage raté, Idola avait vivement réagi.

— Pourquoi n'êtes-vous pas partie quand même? Vous étiez majeure, non? Est-ce que votre père vous aurait pris votre argent? Aurait-il pu vous empêcher de partir?... Je veux dire, aurait-il pu user de violence et vous faire du mal si vous lui aviez tenu tête?

— Non, je ne crois pas. Je pense qu'il aurait fini par me laisser aller.

— Alors?

Gabrielle était atterrée.

— Je n'y ai même pas pensé.

— Vous voyez, le pouvoir de votre père était tel qu'il vous a aveuglée au point que vous n'avez même pas songé à désobéir à une directive injuste. Il vous a montré toute la mesquinerie dont il était capable en vous empêchant de faire quelque chose qui vous aurait éloignée de lui. Les hommes sont toujours d'un égoïsme démesuré. Mais quand ils sont menacés dans leur fief ou qu'ils risquent de perdre leurs possessions, ou encore si c'est leur autorité qui est en jeu, c'est encore pire, ils deviennent des monstres. Vous auriez dû vous en aller. Comment avez-vous pu continuer à vivre auprès d'un pareil personnage?

Comment en effet? C'était remuer des cendres encore chaudes, ressasser des rancunes pas encore oubliées.

— J'ai commencé à fumer! fit Gabrielle dans un soupir. C'était une manière de me venger, peut-être maladroite, je l'admets...

— Oui, et votre vengeance continue de s'évanouir en fumée. Quel gaspillage!

— Vous pensez que j'ai eu tort...?

— Mais non, c'est lui qui a eu tort. Les femmes n'ont jamais tort. Aussi longtemps qu'elle auront à lutter contre l'injustice des hommes, elles devront agir en fonction de cette injustice. C'est à cause de cette lutte qu'elles perdent leurs moyens, abandonnent tout esprit d'initiative. Ne regrettez rien, vous n'avez été qu'une victime de plus. Mais réagissez avant qu'il ne soit trop tard.

Puis, comme si elle regrettait ses paroles, elle avait ajouté doucement:

— Mais vous savez, j'aurais peut-être fait la même chose à votre place…

Gabrielle venait de perdre l'occasion d'en savoir davantage sur la vie privée de son amie; toute à sa stupeur, elle avait poursuivi sa réflexion. Aurait-elle pu désobéir à son père? Probablement pas. Si elle avait osé partir quand même, il l'aurait répudiée. Et elle n'aurait pas pu vivre loin de lui. Lui non plus d'ailleurs. C'était le forcer à finir ses jours dans la solitude. Après tout, c'était son père et elle lui devait le respect. Mais ce qui l'irritait, c'était de n'avoir pas envisagé la désobéissance comme une éventualité. Quelle imbécile elle avait été! Elle s'était laissé submerger par ses émotions, s'était montrée incapable de raisonner. Oh! comme elle aurait aimé avoir la force d'Idola, sa fermeté, sa capacité de raisonner! Idola, c'était la raison pure.

— Ne m'enviez pas trop et surtout ne m'admirez pas, lui disait son amie quand Gabrielle, toujours encline à se déprécier, se mettait à faire des comparaisons. Occupez-vous plutôt de vous admirer vous-même. Vous avez de belles qualités, Gabrielle, et, ce qui ne gâte rien, vous n'êtes pas ignare. Vous savez lire et vous vous exprimez correctement; c'est sans doute votre unique richesse mais vous n'aurez jamais l'air d'une sotte. Vous avez tout ce qu'il faut pour mener votre petit bateau, mais vous avez peur de vous aventurer au large.

Gabrielle avait apprécié l'image. Elle se voyait en train de naviguer, s'imaginait en pleine mer, fouettée par les vents et la pluie. Les commentaires d'Idola lui avaient redonné une estime d'elle-même qu'elle s'appliquait à conserver. Ses propos étaient stimulants en ce sens qu'ils la faisaient réfléchir et s'ouvrir à d'autres perspectives. Après tout, ce voyage raté, peut-être pourrait-elle le faire plus tard...? Avec l'argent économisé depuis cinq ans, elle pourrait s'offrir une très belle croisière. Et pourquoi pas avec sa nouvelle amie? Idola connaissait bien les vieux pays, elle avait étudié en France; il fallait l'entendre parler de Paris et du grand Coquelin, le célèbre acteur de la Comédie française qui avait été son professeur de diction. Idola connaissait tant de choses, elle ferait une merveilleuse compagne de voyage.

Elle voguait, Gabrielle, en parcourant les rues de la ville. Idola, qui ne pouvait l'accompagner souvent à cause de ses cours, lui avait laissé toute liberté quant à l'emplacement du logement, ce qui l'autorisait à faire de grands tours de tramway ou d'autobus. Elle avait pris ses huit jours de vacances pour s'acquitter de sa mission et, avec les jours qui rallongeaient et le soleil qui laissait de grands traits roses dans le ciel mauve jusqu'à neuf heures, la corvée avait du charme, surtout quand elle l'entraînait loin du bas de la ville. Il suffisait d'aller vers le nord, de dépasser la rue Bélanger, et elle se retrouvait en pleine campagne avec des champs à perte de vue. «Si vous saviez comme je me sens libre, disait-elle en revenant de ses randonnées, j'ai l'impression d'être en voyage dans mon propre pays.»

C'est pourtant tout près de chez elle que Gabrielle trouva, après une vingtaine de visites, le local qui allait devenir un lieu de rassemblement. Rue Poupart, non loin du parc Bellerive; un modeste trois-pièces inhabité, sale et négligé, mais avec l'eau courante. Quand elle le fit voir à son amie, Idola fut catégorique: elle ne voulait pas d'un pareil taudis. Gabrielle n'en crut pas ses oreilles.

— Mais voyons, c'est ce que j'ai vu de mieux en deux mois. Vous ne vous rendez pas compte? J'ai visité tous les quartiers, j'ai été dans Hochelaga, dans le Mile End et bien plus loin au nord, jusqu'aux abords de la rivière des Prairies, et c'est ce que j'ai trouvé de moins misérable pour le prix que nous pouvons payer. Regardez, il y a même un petit réchaud à gaz, nous pourrons offrir le thé aux abonnées, qu'est-ce que vous voulez de plus? Je me faisais une telle joie de l'avoir trouvé! Vous étiez pourtant d'accord pour chercher ailleurs que dans les beaux quartiers. Qu'est-ce qui vous déplaît tant ici?

— Je n'ai jamais vu un logement aussi crotté, dit Idola en détournant le regard.

Gabrielle était vexée.

— Et moi, je ne vous ai jamais vue aussi méprisante. Vous avez raison, c'est sale, ça sent mauvais, mais vous levez le nez comme une précieuse, comme ces femmes qui n'ont jamais touché à un balai de leur vie! Vous n'allez pas me dire que vous avez peur de faire le ménage...?

Des larmes de dépit dans les yeux, Gabrielle attendit une réponse qui ne vint pas; pour une fois, Idola semblait à court de réplique.

— Ne vous en faites pas, je m'occuperai du nettoyage si c'est ce qui vous ennuie; je n'ai pas peur de me salir les mains, moi! Mais si c'est le quartier qui vous déplaît, sachez que c'est le mien et que j'en suis fière. D'ailleurs, vous trouverez justement ici les femmes que vous cherchez: ouvrières, mères de famille nombreuse, pauvres travailleuses mal payées; c'est ici, dans ces taudis comme vous les appelez, qu'elles habitent. Vous ne le saviez donc pas? Vous les bourgeoises, vous êtes toujours prêtes à sauver les pauvres, à condition qu'ils soient propres et qu'ils vous disent merci!

Gabrielle était injuste, elle reportait sur Idola tout ce qu'elle avait eu à supporter d'humiliations. Elle continua avec un puissant besoin de se vider le cœur.

— Je sais ce que vous pensez; vous croyez que je ne suis pas de votre classe parce que je suis née ici. Et vous croyez que c'est grâce à la fréquentation de gens bien élevés comme vous que je suis un peu plus présentable. Eh bien, laissez-moi vous dire qu'il y a parmi les gens de votre monde autant d'imbéciles que chez les gens que vous appelez des pauvres ou des miséreux. Et je ne parle pas seulement des hommes, Idola, il y a aussi des femmes; il en vient tous les jours à la librairie qui me traitent de haut et qui me demandent des livres dont les reliures devraient s'harmoniser avec leurs tentures de velours grenat. Elles sont souvent incapables de vous nommer deux auteurs sans se tromper, mais elles vous disent merci en anglais quand vous leur tendez leur paquet. Ces femmes-là ne valent pas mieux que les hommes que vous dénigrez, elles se servent de leur prétendue supériorité pour traiter les autres en serviteurs. Leur attitude me révolte tout autant que les humiliations qu'on inflige aux femmes; c'est contre toutes les injustices que je veux lutter, c'est contre ce mépris qu'il faut s'élever parce que c'est le même qui oppose les hommes et les femmes.

Épuisée et honteuse, Gabrielle s'approcha d'une fenêtre aux vitres maculées de boue et de poussière.

— Je suis bien contente de la confiance que vous m'avez accordée jusqu'ici mais je ne suis pas prête à renoncer à ce que je suis pour vous faire plaisir.

Elle eut un petit rire d'excuse, s'essuya les yeux, ouvrit la fenêtre.

— C'est vrai que ça sent mauvais, dit-elle encore pour rompre un silence trop lourd.

Elle renifla bruyamment, trouva un mouchoir au fond de sa poche. Idola fixait le plancher de bois gris; durant un court instant elle leva les yeux, regarda son amie de son froid regard indéfinissable, puis elle retourna à sa contemplation.

Il y avait eu confusion: Idola Saint-Jean n'avait certainement pas peur de se mettre à l'ouvrage; elle avait été l'une de celles qui s'étaient dévouées à soigner les victimes des grandes épidémies, une dizaine d'années auparavant. Elle aurait pu détromper Gabrielle, lui raconter la misère insupportable de ces années-là, bien plus grande que celle qui se cachait dans les modestes maisons du voisinage. Elle ne le fit pas. On peut penser qu'elle choisit de se taire pour permettre à sa jeune amie de faire ses propres découvertes.

Gabrielle ne se doutait de rien. Idola va parler, se dit-elle, attendant le commentaire cinglant, les reproches peut-être, les excuses moins probablement. Mais avec stupeur, elle la vit s'avancer doucement vers elle et retirer ses gants.

— Vous aviez raison, il suffisait d'ouvrir la fenêtre. Vous êtes dotée d'un remarquable esprit pratique, n'est-ce pas?

Gabrielle l'interrogea du regard; les deux femmes s'étudièrent un moment en silence.

— Non, reprit Idola, je ne me moque pas de vous, Gabrielle, je vous suis.

Puis, avec une voix qui se voulait plus douce que condescendante, elle ajouta:

— Vous allez me montrer ce que je dois faire pour me salir les mains.

10

Malgré beaucoup de bonne volonté et des efforts certains pour mettre le projet en marche, la bibliothèque n'eut pas le succès escompté, du moins pas le succès auquel Gabrielle s'était attendue. Tout d'abord, les travaux à effectuer au logement pour le rendre présentable retardèrent la date d'ouverture. Or l'automne se révélait être une mauvaise saison pour démarrer. Pour Gabrielle comme pour Idola, la rentrée des classes représentait une période d'activité intense qui grugeait une bonne partie de leur énergie.

Pour sa part, Gabrielle ne disposait que d'une petite demi-heure après la fermeture de la librairie pour passer chez elle et préparer le souper en vitesse. Elle ne pouvait plus compter sur Adrienne qui trouvait beaucoup de bonnes raisons de fuir la maison familiale. Les deux sœurs s'étaient partagé les tâches domestiques à peu près équitablement depuis que la plus jeune travaillait. Mais ses fiançailles avec Paul-Étienne avaient modifié le comportement d'Adrienne; elle s'était désintéressée de l'entretien de la maison en se découvrant des passions pour la danse, le cinéma et les concerts. Un jour où Gabrielle le lui reprochait, elle en profita pour lui retourner ses accusations.

— Et toi? Tu peux bien parler, tu es toujours absente! Toujours en train de courir les rues avec une femme qui pourrait être ta mère. Une féministe, dis-tu? Eh bien, si c'est ça une féministe, j'aime autant ne pas en être une. Le pire, c'est que tu vas finir par lui ressembler. Mais tu ne te vois pas! Tu as l'air d'un garçon manqué avec ton paletot trop large et ton béret ridicule. Les gens ont déjà commencé à jaser autour de toi; on dit que vous passez vos soirées à boire et à fumer. Tu es en train de te faire une belle réputation. Tu n'as même plus l'estime de ton père. Tu le négliges d'ailleurs…

— J'ai le droit de mener ma vie comme je l'entends; occupe-toi plutôt de la tienne. Quant à mon père comme tu dis, c'est aussi le tien, Adrienne. Je ne vois pas pourquoi ce serait seulement à moi de prendre soin de lui.

— Ah non? Tu ne vois pas? Ne fais pas l'innocente, Gabrielle Provencher, tu as toujours été sa préférée. La plus fine, la plus belle, la plus travailleuse, c'était toujours toi. Et tu voudrais me faire croire que j'ai les mêmes devoirs qu'une fille ordinaire? Non, je ne me sens pas responsable de mon père, et si tu veux savoir pourquoi, c'est parce qu'il n'a jamais été un père pour moi; il ne s'est jamais intéressé à ce que je faisais. Quand tu t'en es aperçue, il était trop tard, tu n'as fait que l'éloigner de moi. Alors ne me demande pas de le prendre en charge maintenant. Autant t'habituer tout de suite; quand je serai mariée, j'aurai bien assez d'un homme à contenter.

Adrienne ne faisait que retourner le fer dans la plaie. Gabrielle le savait, le départ de sa sœur allait rendre encore plus difficiles ses relations avec le vieil homme; le malaise ne ferait que s'amplifier. Elle se le reprochait, il lui aurait fallu être tout à fait ingrate pour nier sa responsabilité comme il lui aurait fallu beaucoup de malhonnêteté pour ne pas reconnaître ses fautes envers une sœur qu'elle avait toujours traitée avec condescendance. Elle était prête à l'admettre, mais à quoi auraient servi ses excuses? Auraient-elles pu réparer ses torts et faire en sorte que sa sœur se sentît plus aimée? Non, il était trop tard assurément pour tenter de nouer des liens avec une femme aussi peu compréhensive et qui lui manifestait plus d'hostilité qu'une étrangère.

De son côté, Adrienne était sensible aux commérages, et ses remarques se firent injustes, ses allusions de plus en plus méprisantes au sujet de l'amitié des deux femmes.

— Je comprends pourquoi Paul-Étienne te trouvait si froide et si distante, tu ne t'intéresses pas aux hommes, n'est-ce pas? Tu préfères la compagnie d'une femme, d'une féministe, d'une vieille fille, d'une pareille à toi!

Ajoutées à la fatigue, ces injures finissaient tout de même par user le moral de Gabrielle; elles allaient contribuer à refroidir son enthousiasme, rue Poupart. Non que la bibliothèque ne fût pas fréquentée; bien au contraire, elle le fut assez vite, la publicité ayant été bien faite avec de grandes affiches qui invitaient à la détente et à la discussion. Il venait du monde tous les soirs mais les livres restaient sur les rayons.

Les femmes arrivaient avec des attentes bien différentes. Leurs problèmes étaient vieux comme le monde: l'une avait un enfant malade, l'autre n'avait pas de quoi nourrir les siens. Une fois c'est toute une famille qui s'installa autour du petit réchaud parce qu'on venait de la déloger. La théière vidée, tous et toutes repartaient avec des encouragements, quelques-unes avec un peu d'argent pour payer le médecin ou acheter de la nourriture.

Gabrielle tombait des nues. Des voisines qu'elle pensait bien connaître et qu'elle avait crues à l'aise avouaient leurs efforts pour joindre les deux bouts. Pour ces femmes-là, la pauvreté était une maladie honteuse qu'il valait mieux garder à la maison. Tout comme l'infidélité des maris qui ne faisait pas moins de victimes mais dont on ne parlait pas. Humiliées, bafouées, ridiculisées, maltraitées, méprisées, les femmes refusaient de se confier directement et procédaient par allusions; il fallait bien souvent deviner leurs soucis; elles gardaient la tête droite. Bien qu'on sentît chez elles un profond besoin de se confier, elles préféraient garder le silence sur leurs vraies préoccupations. Certaines d'entre elles travaillaient dans des conditions déplorables, et celles qui osaient en parler taisaient soigneusement les noms des entreprises ou de leurs patrons.

D'autres avaient néanmoins des problèmes plus concrets qui exigeaient une aide financière. C'était là le plus difficile: le sentiment exaltant de se sentir utile était presque continuellement dissipé par l'impuissance à satisfaire ces besoins-là.

La bibliothèque devint peu à peu une maison où on venait se réfugier pour prendre une boisson chaude en se confiant. Gabrielle se désolait. Les femmes avaient besoin de tout, de conseils, de soins, d'affection, de tendresse, de tout sauf d'une bibliothèque. D'ailleurs certaines d'entre elles n'avaient jamais lu un livre ou un journal, et pour cause!

— Avant de leur apprendre à lire ou à écrire, il faudrait pouvoir leur donner le nécessaire et les aider à retrouver leur dignité.

Idola approuvait:

— C'est le nœud du problème, Gabrielle, vous venez de comprendre le plus important.

— Mais ce n'est pas notre but, n'est-ce pas? Vous allez sans doute me trouver égoïste, Idola, et j'ai honte de le dire, mais je me sens impuissante à les aider.

Idola ne répondit pas; elle avait certainement prévu sa réaction. Elle savait bien ce qui tourmentait Gabrielle: la jeune femme était en train de dépenser toutes ses économies. Au bout de deux mois en effet, la somme versée comme mise de fonds était pratiquement épuisée; il restait tout au plus de quoi payer le loyer de décembre. Ce ne fut pas facile pour Gabrielle; l'aveu dut lui coûter plusieurs nuits de sommeil: elle s'était souvent accusée d'avarice sous prétexte qu'elle avait un petit compte de banque. Bien entendu, Idola haussa les épaules.

— Vos talents d'administratrice nous ont épargné le pire, nous aurions pu nous réveiller dans six mois avec des dettes énormes. Ne soyez pas si négative, notre but n'était pas de sauver ces femmes de la misère…

— Mais c'est ma faute après tout. Vous aviez raison de ne pas vouloir vous installer dans un quartier pauvre. Je gage que vous aviez prévu notre échec…

— Notre échec! Mais ce n'est pas un échec, cela prouve que nous avons besoin de l'aide du gouvernement si nous désirons régler les graves problèmes auxquels les femmes ont à faire face. Et pour que les dirigeants soient sensibles à leurs difficultés, il faudrait que des femmes soient élues et puissent prendre les décisions qui s'imposent. Vous voyez, nous revenons toujours à notre point de départ.

— Oui, c'est bien ce je disais, nous n'avons pas avancé d'un pouce.

— Mais nous n'avons rien perdu non plus, bien au contraire. Il est vrai que la bibliothèque n'a pas fonctionné, mais il nous reste les livres. C'est déjà plus que ce que j'avais avant de vous rencontrer. Et puis, je vous l'ai dit, je n'abandonne jamais un projet. Rien ne nous empêche de chercher un autre local…

— Ne comptez pas sur moi, trouvez-vous une autre assistante, moi je n'arrive pas à être à la hauteur.

Les deux femmes étaient assises sur des chaises de bois, de chaque côté d'une petite table bancale. Gabrielle mit de l'eau dans la bouilloire, chercha machinalement une cigarette; elle venait de fumer la dernière du paquet. Elle sentit monter sa colère et, sans autre raison, elle explosa:

— Vous êtes trop forte pour moi, Idola, trop forte et trop parfaite. Vous êtes toujours en train de me donner des leçons comme si vous étiez un professeur de morale. Vous voudriez me traiter en égale mais vous n'y arrivez pas. Et savez-vous pourquoi? Parce que je ne mérite pas votre estime. J'en suis flattée mais je ne la mérite pas…

— Je sais, c'est très fatigant de vivre à côté d'une femme parfaite, j'ai parfois bien du mal à me supporter moi-même.

Idola attendit un rire qui ne vint pas.

— Écoutez, Gabrielle, vous êtes épuisée, et moi aussi. Pourtant, vous avez travaillé deux fois plus que moi. Ne le niez pas, c'est grâce à vous que nous avons pu tenir tout ce temps. Cessez donc de vous diminuer et regardez ce que vous avez fait.

Gabrielle ne réagit pas; Idola poursuivit.

— Nous avons toutes deux besoin de nous détendre et de nous changer les idées. J'ai une suggestion à vous faire. Si vous réussissez à obtenir deux jours de congé pendant la période des Fêtes — vous ne devriez pas avoir trop de mal, c'est une fin de semaine —, je vous invite à m'accompagner à Lowell. Qu'en pensez-vous?

— …

— On m'avait demandé de prononcer une conférence le mois dernier et j'avais refusé faute de temps.

Idola dut se tromper sur la physionomie de Gabrielle.

— Ne craignez rien, il ne sera pas question des problèmes des femmes; je parlerai de l'importance pour chacun de conserver sa langue maternelle. J'ai déjà fait une tournée de conférences en Nouvelle-Angleterre où j'ai eu l'occasion de constater les efforts de nos anciens compatriotes pour préserver leur langue et leurs coutumes. Vous verrez, leur contact est infiniment stimulant. Et la plupart parlent un français acceptable. Vous n'aurez pas à vous fatiguer pour sortir votre jargon.

Gabrielle la fixait sans y croire.

— Comment pouvez-vous me proposer un voyage d'agrément? N'avez-vous donc pas de cœur? On dirait que vous êtes insensible, Idola...

— C'est l'un des aspects de ma réputation qui me paraît assez fondé. Je préfère être généreuse avec ma tête plutôt qu'avec mon cœur. Mais vous savez, l'un n'empêche pas l'autre... Ce que je vous propose n'est pas dépourvu de générosité. Et si vous dédaignez mon présent, c'est vous qui deviendrez égoïste.

Idola n'était pas insensible; au cours des derniers mois, Gabrielle avait eu l'occasion d'apprécier son travail. La féministe s'était dévouée sans compter ses heures, avait su écouter ces femmes démunies sans les juger. Mais elle ne s'était pas laissée envahir par leurs préoccupations, n'avait aucunement négligé les causes auxquelles elle croyait. Dès que le local avait été vidé et les livres entreposés dans l'arrière-boutique de la *Librairie des deux mondes,* elle avait repris ses cours au Monument national, avait encore trouvé le temps d'écrire deux articles pour *La Revue moderne*.

— Vous n'êtes donc jamais fatiguée? J'ai vingt ans de moins que vous et j'arrive à peine à vous suivre.

— C'est une question de discipline, Gabrielle. J'ai eu à me débrouiller, très tôt, toute seule, et j'ai appris à ne compter sur personne. C'est une épreuve dont j'ai su profiter. Au lieu de me laisser décourager par des difficultés de toutes sortes, je m'en suis toujours servie pour aller de l'avant. Le travail est ma raison de vivre. N'oubliez pas que je suis célibataire et que je n'ai pas de vie de famille.

— Oui, vous avez raison, nous avons besoin de nous sentir utiles, dit Gabrielle sans entrain.

Idola lui lança un coup d'œil perplexe.

— Oh! je ne parlais pas pour vous, vous êtes encore jeune. Et puis, vous avez une famille, c'est un peu comme si vous étiez mariée; votre père est aussi dépendant qu'un enfant, n'est-ce pas? D'ailleurs je me demande s'il vous permettra de m'accompagner.

Idola l'avait dit sans ironie; Gabrielle prit un air souriant où perçait un peu de défi. Son père ne pouvait raisonnablement s'opposer à une si courte séparation et, de toute façon, il avait cessé de lui reprocher ses sorties. C'est Adrienne qui protesta vivement, disant qu'elle allait rater les spectacles et les films du temps des Fêtes. En manière de vengeance, elle se laissa aller à des plaisanteries pas tout à fait dénuées de méchanceté.

— J'ai entendu dire que certaines féministes s'aiment d'amour, il paraît qu'il y en a qui vont jusqu'à se marier entre elles. Est-ce pour épouser Idola que tu t'en vas aux États? Ou bien est-ce un voyage de noces?

Embarrassée, Gabrielle ne répondit pas. En d'autres temps, elle aurait ri de ces sottises mais, était-ce ce sentiment d'échec qui s'acharnait à la poursuivre, elle se sentait vulnérable aux sarcasmes d'Adrienne. À côté de ce qu'elle estimait être des efforts sincères pour se rendre utile et pour seconder Idola, elle se découvrait des sentiments qui l'effrayaient par leur complexité. Elle éprouvait plus que de l'admiration pour cette femme remarquable; il lui arrivait de faire des rêves qui la plongeaient dans la confusion pour le reste de la journée.

Le séjour à Lowell dissipa son malaise, son intimité forcée avec la féministe devant achever de la rassurer. Gabrielle retrouva intact son plaisir de voyager en train, se laissa aller à des contemplations méditatives. Les États-Unis n'étaient donc pas le pays inaccessible et mystérieux dont elle avait rêvé. Les champs recouverts de neige et les grandes maisons de bois étaient semblables à ceux qui se trouvaient de l'autre côté de la frontière.

Là-bas elle fit la connaissance de gens simples et chaleureux. Personne ne se moqua de son accent, et Idola dut lui faire ses excuses en constatant ses progrès en anglais. Gabrielle avait soudainement toutes les audaces. Le soir de la conférence, elle demanda à prendre la parole et présenta Idola avec un humour et une assurance qui firent briller les yeux de son amie.

Elle évoqua ainsi la maison de la rue Poupart, expliqua les problèmes auxquels elles avaient eu à faire face pour mettre le projet sur pied. Vue sous cet angle, l'expérience n'avait plus rien d'un échec. Elle s'étonnait:

— Je me demande ce qui m'arrive, Idola. Je me sens curieusement libre ici. On dirait que je ne suis plus la même.

— Si vous voulez mon avis, vous êtes en train de sortir de votre cocon et de vous épanouir. Votre famille vous étouffe, Gabrielle, et vous empêche d'avancer.

Gabrielle resta songeuse. Sa famille avait-elle donc tant de pouvoir? Idola, elle, n'avait nul besoin des autres. Elle était celle qui marchait et qui lui montrait le chemin; elle avait toujours une longueur d'avance.

Durant le trajet de retour, Gabrielle s'assit en retrait, observa le défilé des arbres sur les champs enneigés. C'était sa vie qui s'enfuyait de chaque côté de la voie ferrée, sa jeunesse qu'elle laissait filer derrière. Elle n'avait plus de temps à perdre à présent. Il lui fallait faire son chemin toute seule.

11

Après son bref voyage, Gabrielle rentra dans une ville secouée par le drame. Pendant son absence, le Laurier-Palace, un cinéma bien connu du quartier, avait flambé en pleine projection dominicale. Le bilan était consternant: soixante-dix-huit enfants avaient péri dans l'incendie. Les Provencher connaissaient quelques-unes des victimes, plusieurs parents en deuil étaient des voisins; des habituées de la rue Poupart, un couple d'amis de Paul-Étienne, tous les résidants étaient touchés de près ou de loin. Adrienne fut particulièrement affectée, elle qui aurait pu se trouver dans l'assistance au moment du sinistre. Elle se mit à aider les familles éprouvées; ce fut l'occasion d'un rapprochement entre les deux sœurs. Pour lui changer les idées, Gabrielle entraîna sa cadette dans les bureaux de la Fédération.

Au début, Adrienne ne montra guère d'intérêt pour ces rassemblements de femmes; cela viendrait peu à peu. L'occasion permit du moins à Gabrielle de retrouver d'anciennes connaissances. Blanche, qui collaborait de temps à autre au journal et qu'elle n'avait pas revue depuis son mariage, c'est-à-dire depuis presque trois ans, l'accueillit affectueusement.

— Tu as changé, Gabrielle, tu as grandi.

— Évidemment, j'ai vieilli.

— Non, ce n'est pas ce que je veux dire. Je t'ai observée pendant que tu parlais avec les autres, tu es maintenant pleine d'assurance, tu as l'air d'avoir une grande confiance en toi.

— Ne t'y fie pas trop, ce n'est qu'une apparence. Je suis toujours aussi hésitante, je lutte beaucoup contre mes penchants naturels. Mais il me semble que nous devenons plus fortes en prenant de l'âge; il n'est pas si désagréable de vieillir et d'acquérir une certaine maturité, tu ne trouves pas? En tout cas, toi, tu es resplendissante. Si j'ai grandi, toi, tu as engraissé, non?

Blanche avait rosi de plaisir.

— Oui, je suis encore enceinte.

Elle avait ri, Gabrielle l'avait félicitée. C'était bon de se retrouver mais elles ne trouvaient plus rien à se dire.

— Et toi? Qu'est-ce que tu attends pour tomber en amour? Est-ce que tu cherches toujours l'âme sœur?

— L'âme sœur?

L'expression avait fait sourire Gabrielle; elle lui rappelait leurs incessantes discussions d'adolescentes. Bavardage que tout cela! Gabrielle avait habilement détourné la conversation et expliqué pourquoi elle était revenue rue Saint-Laurent. Plutôt que de reprendre sa collaboration au journal, elle désirait une petite place au sein du Comité. Blanche la présenta à Thérèse Casgrain qui l'accueillit avec beaucoup de gentillesse.

— On m'a souvent parlé de votre fidélité à notre cause, mademoiselle Provencher; on dit que vous êtes une grande amie de mademoiselle Saint-Jean et que vous la suivez partout comme son ombre.

— C'est vrai, mais comme vous pouvez le voir, il m'arrive aussi de sortir sans elle.

Elle était légèrement ennuyée; Thérèse l'observait en souriant.

— J'aime les jeunes gens indépendants, dit-elle, et elle prit doucement Gabrielle par le bras pour la présenter à ses amies.

Madame Arthur Léger avait remplacé Marie Gérin-Lajoie à la présidence, mais ce n'était un secret pour personne que Thérèse Casgrain, cette femme influente dont on vantait les manières, jouait un rôle important dans l'organisation. Depuis son arrivée, l'atmosphère paraissait plus détendue et plus légère. Toutefois on semblait davantage préoccupé de réceptions et de mondanités que de droit de vote. Après quelques visites, Gabrielle fut déçue par le peu d'importance qu'on accordait à la cause du suffrage.

Pour sa part, Idola boudait les réunions; elle n'y assistait plus que quand Gabrielle insistait, disant que le mouvement ne remplissait plus sa mission. Elle critiquait sévèrement l'inertie générale et désapprouvait les méthodes doucereuses de Thérèse.

— Madame Casgrain compte manifestement sur son pouvoir de séduction pour obtenir des faveurs. Mais ce ne sont pas des cadeaux que nous réclamons, ce sont des droits.

Quelques inconditionnelles défendaient de leur mieux Thérèse Casgrain.

— N'oubliez pas qu'elle a une réputation à préserver; quand on est la fille d'un célèbre homme d'affaires et la femme d'un politicien respecté, il faut garder sa place.

— C'est bien ce que je dis, répliquait Idola, elle n'est pas libre de bouger, ni de faire bouger qui que ce soit.

Elle n'était pas seule à penser ainsi: un petit groupe de contestataires avaient commencé à s'impatienter. Les travailleuses ne se sentaient pas à l'aise à l'intérieur du mouvement; quelques ouvrières rencontrées rue Poupart étaient venues voir à quoi ressemblaient ces soirées et étaient reparties dépitées. «Vous feriez une meilleure présidente», dirent-elles à Idola.

Thérèse Casgrain fut aussitôt mise au courant de ce vent de dissidence; au cours d'une réunion, elle aborda directement la question.

— J'ai entendu dire que vous songiez à avoir votre propre organisation...?

Idola la regarda bien en face.

— J'y pense en effet. Nous aurions besoin d'un mouvement qui soit entièrement consacré à l'obtention du suffrage des femmes.

Cette franchise inattendue prit Thérèse au dépourvu.

— Je ne comprends pas pourquoi vous songez à diviser les forces au moment où nous aurions le plus besoin d'être unies.

— Et moi, je ne comprends pas pourquoi il ne se passe jamais rien malgré le fait que nous soyons si unies... Qu'avez-vous fait depuis votre arrivée?

— Nous avons été présentes partout où c'était nécessaire.

— Oui, dans les bals de charité...

— Qu'est-ce que vous avez contre les bonnes œuvres?

— Je n'ai rien contre les gestes charitables, et vous le savez parfaitement. Mais je trouve qu'on vous voit beaucoup dans les salons bourgeois des amis de votre mari.

— Vous saurez que les contacts que j'ai dans les milieux politiques nous sont très utiles et qu'ils finiront par servir notre cause. Je vois que vous n'approuvez pas mes manières, mais croyez-vous que les vôtres auront plus de succès? Vous devez savoir qu'on n'attire pas les mouches avec du vinaigre!

— Vos méthodes ont sans doute fait leurs preuves dans les milieux nantis mais je doute qu'elles soient aussi efficaces pour la cause que nous défendons. Ce qu'il nous faudrait, c'est un véritable outil de lutte.

— Vous parlez comme une syndicaliste... Est-ce que vous songez à un mouvement ouvrier?

— Je songe à un mouvement qui saurait réunir des femmes de toutes les classes sociales. Oui, je pense qu'un organisme mieux défini et qui pourrait représenter autant les travailleuses que les bourgeoises saurait aller directement au but.

— Je vois que vous avez déjà pris votre décision et que vous êtes déterminée à nous quitter. Alors tant pis! Il nous faudra deux fois plus de temps pour réussir. Vous devez pourtant savoir que cette division nous nuira. Le gouvernement a toujours eu intérêt à diviser les femmes; je connais des députés qui seront ravis d'apprendre votre départ.

— Ne cherchez pas à me faire porter le blâme; je suis immunisée contre ce genre d'attaque. Vous et moi avons le même but mais nous prendrons des moyens différents pour y parvenir.

Thérèse n'ajouta rien; elle était visiblement furieuse. Malgré toute la sympathie que cette femme lui inspirait, Gabrielle partageait le point de vue d'Idola: le Comité n'avait fait que piétiner depuis cinq ans. Elle donna sa démission peu de temps après, de même que trois anciennes qui appuyaient Idola. Celle-ci ne se fit pas prier pour prendre la tête de l'organisation, et l'Alliance canadienne pour le vote des femmes du Québec fut fondée.

Ce deuxième regroupement, qui allait donner un second souffle au mouvement suffragiste, donna également des ailes à Idola Saint-Jean. Aurait-elle eu envie de couper l'herbe sous les pieds de Thérèse Casgrain qu'elle ne s'y serait pas prise autrement. Elle fit aussitôt le tour de ses relations, repéra des hommes politiques sensibles au mouvement suffragiste et trouva parmi eux celui qui allait présenter le projet de loi. Victor Marchand, député de Jacques-Cartier, consentit à parrainer le projet devant l'Assemblée législative.

De même qu'il l'avait fait cinq ans auparavant, le premier ministre Taschereau promit aux délégués que la question serait libre; la législature pourrait se prononcer indépendamment de toute influence de parti. Malheureusement,

Victor Marchand fut immédiatement bombardé de lettres anonymes; il en reçut jusqu'à trente par jour, lettres de menaces ou de désapprobation qui cherchaient à lui faire abandonner le projet. Sa détermination fut sérieusement mise à l'épreuve, et Idola dut faire trois voyages à Québec afin de l'encourager à représenter les féministes. Il finit par y consentir, sans grand enthousiasme. La présentation du projet de loi fut fixée à février.

Avec une sorte de dévotion, Gabrielle reprit le train pour la Vieille Capitale, cinq ans presque jour pour jour après son premier voyage à Québec.

— J'ai l'impression de partir en pèlerinage, dit-elle à Idola.

— Oui, mais soyez sûre que ce n'est pas la dernière fois. Nous pourrions peut-être réserver nos places pour l'année prochaine; croyez-vous que la compagnie des chemins de fer nous accorderait des tarifs réduits?

— Je prendrais bien un abonnement hebdomadaire, fit Gabrielle en étirant les jambes.

Elle souriait d'aise; elle avait pris ses précautions et demandé un congé de deux jours. Les femmes bavardaient; plusieurs membres du Comité étaient venues spécialement de Montréal. Thérèse Casgrain était aussi du voyage. Naturellement, aucune n'ignorait que cette bataille était perdue d'avance, mais l'atmosphère était joyeuse.

Les députés y allèrent de leurs commentaires moqueurs en voyant apparaître les dames au Parlement.

— Voilà notre exposition de chapeaux!

— À quand le gâteau aux cerises à trois étages?

— Par ici les plateaux de fruits!

En compagnie d'une cinquantaine de déléguées, Gabrielle s'installa dans les galeries. La scène se déroula à peu près comme Marie Gérin-Lajoie la lui avait dépeinte cinq ans auparavant; la présentation de Victor Marchand fut interrompue par un député qui demanda le renvoi du projet de loi à six mois. Cette fois, ce n'était pas une pétition qu'il avait en main, mais une lettre demandant à la législature de ne pas octroyer le droit de vote aux femmes sous prétexte qu'elles s'étaient mal conduites au cours des dernières élections fédérales. Adressée à tous les députés et ministres et signée par l'Association des voyageurs de commerce catholiques, cette lettre accusait des femmes de s'être enivrées et d'avoir causé des scandales dans différents comités.

Dans les galeries, on ne put s'empêcher de sourire en entendant de pareilles stupidités.

— Dommage que le ridicule ne tue pas, murmura Idola, nous aurions beaucoup moins d'opposants.

Les députés et les ministres avaient commencé à chahuter. Alexandre Taschereau se leva et demanda qu'on vote tout de suite pour gagner du temps.

— Ainsi, ces dames pourront rentrer plus vite chez elles où des devoirs autrement plus importants les attendent, prit-il la peine d'ajouter.

On procéda donc au vote. Il y eut treize voix pour et cinquante et une voix contre. Ce ne fut une surprise pour personne; les femmes quittèrent leur place en bavardant tranquillement. Des journalistes venaient à leur rencontre.

— C'est un excellent début, répondit Idola au jeune homme qui l'interrogeait, au moins nous saurons à quoi nous en tenir.

— Et que comptez-vous faire maintenant?

— Continuer, dit Thérèse Casgrain qui s'était approchée d'Idola et avait décidé de répondre à sa place. Nous savons que nous avons raison, il n'est pas question d'abandonner la lutte. Nous allons intéresser encore plus de femmes à notre projet.

Idola l'écoutait, curieuse de connaître la suite.

— Et retenez bien ce que je vais vous dire, continua Thérèse, en jetant un coup d'œil complice à Gabrielle, nous reviendrons chaque année jusqu'à ce qu'on nous ait donné raison.

— Vous voulez dire que vous allez faire déposer un projet de loi chaque année?

— Pourquoi pas? Ainsi, nous saurons régulièrement qui sont ceux qui méprisent l'intelligence des femmes du Québec.

Le journaliste souriait. Plusieurs des ses collègues s'étaient rapprochés.

— Et combien de temps pensez-vous pouvoir tenir?

Thérèse Casgrain lui adressa à son tour son plus charmant sourire.

— Quelle insolence, jeune homme! Vous pensez peut-être que je n'ai pas assez de temps devant moi?

— Ce n'est pas ce que je voulais dire..., bredouilla le garçon, sincèrement désolé.

— Ne craignez rien, continua-t-elle, nous avons dans nos rangs des femmes plus jeunes qui sauront faire preuve de persévérance.

Thérèse se tourna vers Gabrielle qui protesta aussitôt. Après tout, elle n'avait que cinq ans de moins que Thérèse... Mais celle-ci insistait, elle l'avait prise par le bras et la poussait gentiment en avant.

— Mademoiselle Provencher, lui dit-elle, toujours souriante, vous qui aimez tant ces petits voyages à Québec, combien de fois pensez-vous pouvoir revenir?

— J'ai toute la vie devant moi, répondit Gabrielle, qui venait de reconnaître Émile Gariépy dans le groupe des journalistes.

12

«J'aurais vraiment aimé vous servir de guide.»

Émile s'était tu pour mieux observer Gabrielle; ses yeux étaient vifs et brillaient sous le reflet pâlot des réverbères. Ils étaient venus à pied jusqu'à la gare. Il faisait froid; Gabrielle s'était couvert la tête de son foulard de laine. Elle prit le temps de le dénouer avant de dire:

— Ce n'est pas grave, Émile, vous aviez du travail, ne vous excusez pas, je me suis très bien débrouillée sans vous.

Cette phrase paraissait peut-être un peu désinvolte; après tout, elle aurait mieux aimé visiter Québec en compagnie d'Émile. Elle n'avait cessé de penser à lui pendant son séjour. Alors, comme pour se reprendre, elle avait ajouté:

— Nous nous reverrons: je reviendrai dans un an, et elle lui avait tendu une petite main tremblante.

Il faisait si froid qu'elle avait peine à articuler, sa langue était engourdie, ses lèvres lui semblaient aussi sèches que des buvards.

— J'ai l'impression d'avoir un brise-glace dans la bouche, avait-elle ajouté en riant, pas vous?

Il l'avait contemplée sans sourire. Au lieu de répliquer, il s'était approché tout près de son visage et, très vite, avec une certaine brusquerie et un peu de maladresse, il l'avait embrassée en poussant le bout de sa langue entre ses lèvres glacées. Cela avait été si bref, si subit, qu'elle n'avait tout d'abord éprouvé que de la surprise.

Elle avait ri, pour cacher sa gêne, sa déception aussi. Elle avait espéré un peu plus de douceur, s'était attendue à d'autres sensations. Il avait dû s'en apercevoir car elle avait eu un léger mouvement de recul, et lui-même s'était soudain écarté d'elle. Bien sûr, Émile s'était ensuite mis à parler: il n'aurait certainement pas la patience d'attendre une autre année; les suffragettes feraient bien de multiplier leurs visites à Québec. Dites avec juste ce qu'il fallait d'insistance, ses paroles n'avaient cependant pas réussi à chasser son trouble. Le baiser semblait avoir jeté un froid.

Gabrielle avait souvent repassé la scène sans pouvoir saisir ce qui lui avait déplu. C'est pourquoi elle avait hésité ensuite à répondre à la lettre d'Émile. Mais elle avait de nouveau été charmée par l'écriture et l'intelligence des propos. Émile avait une manière bien à lui de décrire les gens qui l'entouraient; son style était concis, il lui suffisait de quelques mots bien choisis pour raconter un fait ou saisir le comique d'une situation.

De toute manière, il n'attendit pas sa réponse. Dans une deuxième lettre, il brossa un tableau cynique du cabinet Taschereau, dénonça ce qu'il appelait l'immobilisme et la fainéantise du gouvernement. «Tant que ces vieux boucs seront au pouvoir, les femmes n'auront aucune chance d'être écoutées.» Il résuma ses vues sur la démocratie, cita abondamment Tocqueville et John Stuart Mill. Il s'excusait d'avance de ses savants exposés, prétendait avoir toutes les théories en horreur mais ne pouvait s'empêcher de les commenter. Il était de bonne foi, essayait d'échapper à ses contradictions et d'écrire plus simplement. Dans une autre lettre qu'il qualifia lui-même de compromettante, il fit un portrait savoureux de sa famille où sa mère apparaissait comme une sorte de sainte martyrisée par l'enfant ingrat et capricieux qu'il avait été. Il se décrivit lui-même sans complaisance, se disant vulnérable, maladroit et distrait, beaucoup plus habile à manier les phrases qu'à jouer les séducteurs.

Ses confidences, Émile les faisait sans s'épancher, avec le souci d'honnêteté d'un homme qui voulait se faire connaître tel qu'il était. Déçu par le petit monde mesquin dans lequel il lui fallait «faire grincer sa plume», il se définissait davantage comme un caricaturiste que comme un bon journaliste, déplorait son manque de courage à choisir d'autres voies ou d'autres moyens d'expression. À trente-cinq ans, à un âge où selon lui l'homme devait se trouver au sommet de son accomplissement, il pataugeait dans un vide créatif décourageant. «Mais je suppose qu'il me reste quelques illusions puisque j'ai encore le regret de celles que j'ai perdues.»

Gabrielle appréciait la spontanéité de ces lettres, elle qui devait tourner sa plume sept fois dans sa main avant de trouver le mot juste. «C'est parce que j'ai hâte de vous lire que je m'empresse de vous répondre», écrivit-elle en mars 1927. Et lui, sur le même ton: «C'est parce que j'ai hâte de vous écrire que je n'attends pas votre réponse.» À ce rythme-là, la régularité de la correspondance allait leur donner l'impression d'une nette amélioration des services postaux.

Tout paraissait du reste transformé. La vie prenait un autre sens pour Gabrielle et lui devenait plus précieuse; la jeune femme éprouvait de la ferveur à vivre des moments qu'elle allait raconter. Elle s'efforçait de garder en mémoire des détails qui lui auraient échappé au moment d'écrire, prenait parfois des notes, griffonnait des brouillons dans le cahier où elle rédigeait son journal. Elle se flattait de partager les goûts d'Émile; ils aimaient les mêmes auteurs, appréciaient les mêmes livres. Il lui envoya une édition très joliment illustrée de *Cinq semaines en ballon,* elle commanda pour lui *Les Travailleurs de la mer* dans une belle reliure de cuir.

Amour ou amitié? Gabrielle essayait de ne pas se poser la question. Quand elle sentait se réveiller au fond d'elle-même de vieux espoirs dont elle se croyait guérie, elle s'efforçait de les nommer autrement. Mais est-ce que l'amitié lui avait déjà procuré cette chaleur au ventre? Et d'où lui venaient ces bouffées de plaisir à la seule perspective de recevoir une lettre? Il ne se passait plus une heure sans que sa pensée ne se portât vers cet homme qui lui écrivait avec une évidente délectation et de plus en plus d'ardeur. Jamais avant Émile elle n'avait éprouvé le sentiment de son importance. C'est du reste ce qui la troublait un peu dans ses réflexions: plus elle aimait Émile, plus elle s'appréciait elle-même.

Devant le miroir, elle prolongeait sa contemplation un peu plus longtemps que ne le nécessitait sa toilette matinale, s'attardait sur cette image, cherchait la ride ou le signe ingrat qui l'aurait empêchée de tomber amoureuse. Découvrant un visage encore frais, une peau lisse et ferme, elle se reprochait de se voir avec les yeux d'Émile. De son regard de chat, elle scrutait le «doux éclair gris-vert sous le front large et méditatif». Elle s'emplissait des mots des lettres d'Émile; son père l'avait souvent raillée à propos de ses yeux trop grands qui lui mangeaient la figure.

N'empêche, elle se sentait belle, elle le lisait de temps à autre dans les yeux des clients de la librairie ou dans le regard des passants; son teint paraissait plus clair depuis qu'elle appliquait du rose sur ses joues et qu'elle avait dégagé son front de la frange épaisse de ses cheveux noirs. Même Idola qui semblait toujours au-dessus de ces considérations l'avait complimentée sur sa bonne mine. Pourtant les avances discrètes de son patron continuaient de la jeter dans l'embarras. Ne devrait-elle pas se méfier de son propre intérêt pour sa petite personne; n'était-elle pas en train de se laisser berner par l'image plaisante que lui renvoyaient les lettres d'Émile?

Elle n'était pas tout à fait dupe: ces fréquentations par correspondance avaient quelque chose de trop flatteur pour qu'elle n'y flairât pas un piège; elle aimait Émile de loin, mais comment se comporterait-elle quand elle se retrouverait devant lui? Sauraient-ils se parler tous deux aussi joliment que dans leurs lettres? Peut-être fallait-il souhaiter qu'une rencontre vienne concrétiser ou détruire de si beaux espoirs! Car malgré ses réticences à se croire amoureuse, Gabrielle commençait à s'y faire; il lui fallait bien s'avouer que son trouble grandissait chaque jour. Or, tout en souhaitant revoir Émile, entretenue par l'impatience dont il faisait état dans ses lettres, elle redoutait de perdre le sentiment de plénitude dans lequel elle baignait, sentiment qu'elle attribuait surtout aux effets de leur correspondance. Aussi, quand le journaliste lui annonça qu'il viendrait passer trois jours à Montréal pour régler des affaires, elle eut un moment de panique, voulut se défiler.

Fuir, refuser la rencontre! Elle redoutait de se retrouver dans une situation où Émile pourrait tenter de nouveaux rapprochements. Le souvenir du baiser la hantait; elle se demandait pourquoi elle avait été troublée. Les remarques d'Adrienne au sujet de sa froideur et de son indifférence lui revenaient en mémoire; elle leur reconnaissait un fond de vérité. Elle aurait aimé éclairer ces zones obscures, se confier à quelqu'un. Son amie Blanche aurait certainement pu l'aider à répondre à certaines de ses interrogations, mais comme la jeune femme était sur le point d'accoucher, Gabrielle n'osa pas l'ennuyer avec ses questions oiseuses. À vingt-huit ans, il lui fallut bien s'avouer qu'elle ne se sentait guère plus expérimentée qu'une adolescente.

Naturellement elle n'osait pas faire part de ses réticences à son correspondant. Comment aborder des sujets aussi délicats dans une lettre? Cela serait sans doute plus convenable de le faire de vive voix... Toutefois ses craintes persistaient, et la seule façon qu'elle trouva de les apaiser fut de planifier ses rencontres avec le journaliste de manière qu'elles se fassent dans des endroits bien fréquentés.

Rien ne se passa comme elle l'avait prévu; Émile refusa toutes ses suggestions. En ce superbe dimanche de mai, il faisait beaucoup trop beau pour s'enfermer dans un musée, beaucoup trop chaud pour se cloîtrer dans une salle de cinéma. Émile avait d'ailleurs d'autres projets: on lui avait dit le plus grand bien de promenades en barque autour des îles de Boucherville. Sans grande conviction et sans aucun succès, Gabrielle essaya de le faire changer d'avis en lui proposant de venir chez elle; il pourrait ainsi se reposer des fatigues du voyage et faire la connaissance de son père. Bien entendu, il ne faisait pas un temps à se terrer dans une maison; Émile aurait bien assez de la soirée pour aller saluer Charles Provencher.

Qu'avait-elle donc redouté? Émile se montra le plus réservé des hommes, parlant abondamment, commentant la traversée de l'Atlantique par Charles Lindbergh dont tout le monde parlait en ce moment. Il se tenait très correctement et à bonne distance et, même au cours de la promenade dans les bois où il aurait pu profiter du couvert du feuillage pour tenter un rapprochement et risquer une caresse, il garda les mains dans ses poches et conserva une attitude de parfaite civilité. Il semblait beaucoup plus préoccupé par les affaires qui l'attiraient en ville et dont il refusait pourtant de parler, laissant planer le mystère. «J'ai enfin des projets», lui dit-il, laconique, et il s'empressa de changer de sujet. Gabrielle n'insista pas; ils avaient tant à se dire.

Ils marchèrent côte à côte sous le soleil, sans se frôler, pendant une bonne partie de l'après-midi. Et même quand ils s'assirent sur l'une des larges pierres plates qui bordaient le rivage, Émile resta sagement en retrait. C'est Gabrielle qui esquissa le premier geste et qui, dans l'intention courageuse de mettre son sentiment à l'épreuve, opéra un léger glissement de côté. Émile ne bougea pas, si bien qu'elle dut s'appuyer sur lui un peu plus qu'elle ne l'eût souhaité. Elle se retint, hésita une fraction de seconde à s'abandonner, se détendit enfin et se laissa aller.

Déjà elle éprouvait une sourde langueur, sa peau lui paraissait chargée de petites antennes pareilles à des papilles dressées, prêtes à se coucher, prêtes à s'épanouir. Une agréable chaleur qui n'était pas celle du soleil s'était mise à circuler dans ses veines, tout aussi ardente que celle qu'elle sentait dans son dos, sous son bras, et tout près de son visage à présent. Même si Émile ne bougeait toujours pas, son corps immobile semblait l'attirer puissamment.

Elle ne pouvait plus attendre; c'est elle qui tourna la tête. Elle fut prise de vertige, retint son souffle: la bouche d'Émile s'approchait, leurs lèvres s'aspiraient et s'entrouvraient en même temps. Mais elle n'avait plus peur, elle sombrait dans un état de pures délices; c'était la chose la plus douce qu'elle eût goûtée depuis longtemps.

13

Le manteau sur les genoux, Gabrielle regardait sans la voir une petite neige qui tombait derrière les deux fenêtres du bureau. Idola classait des papiers, ses mains adroites allant et venant sur sa table de travail, précises, efficaces.

— Vous sembliez distraite à Québec, Gabrielle; votre compte rendu manque de rigueur, vous avez oublié de noter combien de députés ont voté contre le projet de loi. Et puis, où avez-vous caché votre sens de l'humour? Vous auriez pu y mettre un peu plus d'ironie; il s'est dit des perles cette année. Qu'avez-vous pensé de la repartie de ce pauvre imbécile qui a prétendu que, quand les femmes seraient élues députés, les hommes n'auraient plus qu'à donner naissance aux enfants?

— Je ne l'ai pas entendue, il y avait trop de bruit.

La présentation de William Tremblay, député conservateur de Maisonneuve, avait eu lieu dans l'agitation et les rires. Il n'y avait pratiquement que des femmes dans les galeries, ce que les hommes n'avaient pas manqué de souligner bruyamment.

— Je n'ai jamais vu une assemblée aussi dissipée, une vraie bande de gamins! ajouta Gabrielle sans sourire.

— Et dire que ce sont ces crétins qui nous gouvernent! Il faudrait les déloger un par un. Sauf bien entendu les onze députés qui ont eu le courage de voter en faveur du projet de loi.

— Oui, seulement onze voix, Idola, ne craignez rien, je m'en souviens. Et je n'ai pas oublié qu'il y en avait eu treize l'année dernière. Deux votes de moins, ce n'est pas très encourageant, c'est sans doute pourquoi je n'ai pas voulu l'inscrire dans mon résumé...

Idola scrutait son amie, un demi-sourire sur ses lèvres fines.

— Ne cherchez pas d'excuse, je persiste à croire que c'est un oubli. Vous me pardonnerez ma franchise, mais je vous trouve bien étourdie depuis quelque temps, vous semblez vous désintéresser de notre organisation...

Gabrielle protesta mollement.

— C'est ce que Henri appelle le spleen de février. Je suis toujours très fatiguée en cette période de l'année, je n'ai plus d'énergie.

Elle ne mentait pas, elle avait soif de chaleur et de soleil, et cette fin d'hiver lui était particulièrement désagréable. Mais elle savait où Idola voulait en venir. Au Parlement, elle s'était sentie épiée pendant qu'elle parlait avec Émile. Sa rencontre avec le journaliste avait été très remarquée, même s'ils n'avaient eu que quelques minutes pour se parler et se toucher des yeux. Émile était las de ces rencontres en coup de vent. Gabrielle n'avait pas pu quitter son travail plus de trois jours durant l'été, lui-même pouvait difficilement se libérer, et les occasions de se retrouver étaient rares. Le journaliste était maussade depuis qu'on lui avait refusé un poste dans un important quotidien de Montréal; il avait compté sur ce changement pour sortir de son marasme et donner un nouvel élan à sa carrière.

— Vous m'abandonnez, Gabrielle?

Elle sursauta, regarda son amie sans comprendre.

— Ne dites pas le contraire, je vous ai vue discuter avec Thérèse Casgrain; elle vous a fait une proposition, n'est-ce pas?

Gabrielle s'en voulut de sa distraction; elle avait en effet oublié le message que Thérèse lui avait confié.

— Vous devez avoir raison, je n'ai pas toute ma tête à moi. Madame Casgrain m'a demandé de vous dire qu'un chèque avait été libellé au nom de l'Alliance. Il est signé par la dirigeante du mouvement suffragiste des États-Unis; c'est madame Scott qui vous l'enverra. C'est une jolie somme, Idola, cinq cent dollars que vous pourrez utiliser pour mener une campagne de publicité. Thérèse a déjà reçu son chèque, le vôtre devrait vous parvenir ces jours-ci.

— Je sais tout cela, je viens de parler à Thérèse Casgrain au téléphone; elle m'a priée de vous transmettre ses aimables salutations et de vous rappeler qu'elle vous attend rue Saint-Laurent. C'est ce qui m'a mis la puce à l'oreille; je suis sûre qu'elle va vous demander de joindre ses rangs. Saviez-vous qu'elle est en train de procéder à une réorganisation complète du Comité et qu'on l'a désignée pour en assumer la direction?

— Elle me l'a dit, oui. Elle m'a demandé mon avis au sujet du nouveau nom.

— Que voulez-vous dire? De quel nom parlez-vous?

— Madame Casgrain songe à rebaptiser le Comité. Elle souhaite que la nouvelle appellation corresponde davantage aux activités dont son organisation se chargera. Elle déplore que les professions libérales soient fermées aux femmes et que les institutrices ne gagnent pas plus de cent cinquante dollars par an... C'est pourquoi elle ne se limitera plus à réclamer le droit de vote: elle désire étendre ses revendications aux domaines légal, familial et social.

Idola fulminait.

— Mais moi aussi je déplore que les femmes soient continuellement traitées comme des servantes! Je reconnais bien là sa manière. Au lieu de s'en tenir au but que nous nous sommes fixé, elle se crée d'autres missions. Elle ne se doute pas que cette dispersion va encore retarder notre victoire.

Comme pour se libérer de sa fureur, Idola se leva et se mit à marcher nerveusement.

— Et ce nom, Gabrielle, allez-vous finir par le dire?

— La Ligue des droits de la femme. Ce n'est pas mal, non? Ligue, c'est plus féminin que comité mais c'est tout de même moins évocateur qu'alliance, n'est-ce pas?

Idola n'eut pas l'air d'apprécier. Gabrielle continuait:

— La plupart des membres l'ont déjà adopté, je crois…

— Et vous?

— Moi…?

— Ne faites pas l'innocente, allez-vous accepter sa proposition?

Gabrielle eut un soupir d'impatience.

— Voyons, Idola, ne soyez pas si méfiante! Thérèse Casgrain ne m'a rien demandé de semblable. Je ne sais pas du tout pourquoi elle veut me rencontrer, mais si c'est pour tenter de me persuader de travailler pour la Ligue, j'aime autant vous dire que je n'ai pas l'intention d'accepter. Vous manquez vraiment de confiance en moi…

Idola perdit un peu de sa sévérité et tapota discrètement l'épaule de Gabrielle.

— Excusez-moi, Gabrielle, je vous crois.

— De toute manière, je ne sais pas comment je trouverais le temps, j'ai tellement de travail que je ne sais plus où donner de la tête, fit Gabrielle dans un soupir. Depuis que mon patron a été hospitalisé, je n'ai pas eu une seule journée de congé. Heureusement qu'Adrienne a bien voulu me remplacer à la librairie, sinon je n'aurais pas pu vous accompagner à Québec; je ne serais même pas ici en ce moment. Mais Henri va mieux et je pense qu'il ne me refusera pas quelques jours de vacances.

— Vous l'appelez Henri, maintenant?

— C'est monsieur Chapados lui-même qui m'en a priée, dit Gabrielle en souriant, et je commence à m'y habituer. Je sais bien que c'est mon patron mais ça ne nous empêche pas d'être amis.

— Il me semble que vous avez beaucoup d'amis qui vous tournent autour...

— Vous trichez, Idola. Nous avions décidé de ne plus faire allusion à Émile. Je n'aurais jamais dû vous le présenter...

— Ne regrettez rien; je sais au moins à quoi m'en tenir. Mais vous avez raison, n'en parlons plus: il y a des sujets autrement plus passionnants, fit Idola en regagnant son fauteuil.

Elle avait déjà commencé à élaborer un plan pour la campagne de propagande; elle passa la demi-heure suivante à soumettre ses idées à Gabrielle. Quand celle-ci quitta l'appartement de son amie, il ne neigeait plus.

Idola habitait avenue Elm, dans l'un de ces quartiers où les habitations étaient spacieuses, les rues larges et bordées de grands arbres. Depuis ses retrouvailles avec Émile, Gabrielle se plaisait à observer les façades des maisons; il lui arrivait de s'imaginer, en sa compagnie, dans un intérieur confortable et chaleureux. Ce jour-là, les murs de la chambre étaient roses, les rideaux vert pomme; la pièce était belle comme une journée de printemps. Elle eut tout le loisir d'imaginer le reste en attendant le tramway, et plus encore quand elle s'assit sur le siège en osier. La circulation était ralentie par la couche de neige; durant le long trajet qui la conduisait dans le bas de la ville, elle se vit en pensée au volant de l'une des luxueuses voitures noires qui roulaient à bonne vitesse malgré les rues glissantes. Distraite, elle passa devant la librairie sans la voir et décida de continuer jusqu'au Monument national. Peut-être pourrait-elle y trouver madame Casgrain et apprendre tout de suite ce que la belle dame lui voulait!

Adrienne avait bien voulu la remplacer à la librairie et ne l'attendait pas avant cinq heures; c'est elle qui l'avait suppliée de prendre son temps. La jeune femme s'ennuyait ferme depuis son mariage et ne laissait pas échapper une occasion de sortir de la maison. Paul-Étienne l'avait dissuadée de garder son emploi et elle le regrettait à présent. «Si tu te maries, Gabrielle, ne fais pas la même folie que moi. Et même si Émile insiste, ne l'écoute pas, garde ton idée, n'en fais qu'à ta tête!»

Gabrielle ne répliquait pas. Elle n'avait pas envie de détromper sa sœur; autant la laisser croire ce qu'elle voulait et faire ses propres découvertes. Depuis un certain temps, Adrienne se montrait serviable, d'une touchante amabilité avec elle; rien ne lui semblait plus plaisant que de lui prodiguer les conseils que lui inspirait sa nouvelle condition de femme mariée. «Ne te laisse pas toucher trop vite, lui chuchota-t-elle encore, Émile en profiterait pour aller plus loin. Attends au moins une promesse de sa part. Je suis contente que tu sois normale, Gabrielle, si tu savais comme je suis rassurée!»

Pour d'autres raisons, Charles Provencher n'était pas moins satisfait de la situation régulière dans laquelle Gabrielle s'était engagée avec Émile. Impressionné par la profession du jeune Gariépy, il avait bientôt cédé à sa curiosité, lui faisant passer un véritable interrogatoire. Émile, que ce trait de caractère amusait, ne manquait pas d'ajouter à ses lettres quelques paragraphes de détails recueillis dans les couloirs du Parlement qui faisaient les délices du vieil homme.

Le bonheur aurait-il été complet si les amoureux avaient pu se voir un peu plus souvent? Gabrielle le croyait parfois. Combien de temps allaient-ils pouvoir supporter des séparations auxquelles ils avaient tous deux de plus en plus de mal à se résigner? Émile s'était encore plaint la semaine dernière: il ne pourrait pas venir à Montréal avant juin. Gabrielle aurait bien quelques jours de vacances, mais il était hors de question pour elle de prévoir un séjour à Québec avant l'été... À moins que...

Toute à ses projets, elle faillit manquer Thérèse qui sortait de son bureau, chaudement vêtue et prête à sortir. C'est celle-ci qui l'aperçut et l'aborda en riant.

— Décidément il n'y a pas de coïncidence. Vous êtes précisément la personne que je souhaitais rencontrer, Gabrielle. À la bonne heure! Vous n'avez pas perdu de temps! Venez, j'ai quelque chose à vous demander. Mais ne restons pas dans ce corridor sinistre, entrez donc et assoyons-nous.

La pièce avait été joliment redécorée; Gabrielle apprécia.

— J'espère que vous êtes remise de vos émotions, jeune femme, ce voyage était palpitant. Cette séance de 1928 restera dans nos mémoires, n'est-ce pas? Je pense que c'est un spectacle peu banal de voir le premier ministre et le chef de l'opposition voter du même côté. L'antiféminisme n'a pas de couleur, il faudra s'en souvenir!

— Oui, fit Gabrielle. Elle remarqua une rose toute fraîche posée sur un guéridon d'acajou.

— J'espère que ce nouvel échec n'a pas découragé mademoiselle Saint-Jean, continua Thérèse Casgrain. Pour ma part, je suis plus que jamais déterminée à défendre notre cause jusqu'au bout. Je désire organiser une solide campagne de propagande avec l'argent que les féministes américaines nous ont envoyé. Il y aura des distributions de dépliants dans toute la province ainsi que des assemblées publiques destinées à renseigner la population. Évidemment ces moyens d'action sont connus et, somme toute, assez limités.

Elle fit une pause, joua avec un coupe-papier en argent.

— C'est pourquoi j'ai cherché quelque chose de plus original et qui puisse vraiment attirer l'attention. Avez-vous déjà entendu parler des femmes-sandwiches? Non, ce n'est pas très connu, je sais, c'est une mode qui a eu cours aux États-Unis et qui pourrait obtenir un certain succès ici. J'ai l'intention de former des équipes de femmes-sandwiches qui puissent circuler un peu partout dans la ville. C'est une formule qui risque de séduire les Montréalais, qui sont si entichés de modes américaines. Mais j'aimerais qu'on en trouve aussi à Québec où le mouvement suffragiste prend une certaine ampleur. J'ai remarqué que vous aviez déjà des amis là-bas et j'ai pensé vous y envoyer. Qu'en dites-vous?

Gabrielle se troubla.

— C'est vraiment gentil d'avoir pensé à moi. Mais, vous savez, je travaille et... je voulais justement prendre un congé, s'embrouilla Gabrielle.

— Vous travaillez ou vous êtes en vacances?

— Eh bien, je crois que je pourrais me libérer en avril. Mais je ne peux vraiment pas accepter.

— Vous n'avez pas envie d'aller à Québec?

Gabrielle ne répondit pas; elle réfléchissait.

— Vous savez, continua Thérèse, vous n'auriez pas à vous pavaner avec des panneaux publicitaires; je vous enverrais simplement pour mettre les équipes en place, vous auriez beaucoup de temps libre ensuite.

— ...

— Naturellement, votre travail serait rémunéré. Combien gagnez-vous par semaine, Gabrielle? Dix dollars? Alors je vous en donne douze, disons vingt en incluant les petites dépenses et n'en parlons plus. Bien entendu, je vous offre l'aller-retour pour Québec.

Gabrielle se sentit obligée d'être franche: son patron la payait six dollars pour six jours de travail.

— C'est un monstre! s'exclama Thérèse.

Gabrielle fixait la fenêtre sans rien dire.

— Alors, c'est entendu?

Des dizaines de petites voix avaient commencé à chuchoter dans la tête de Gabrielle et lui murmuraient des phrases d'encouragement. Elle hésita encore une demi-seconde, sentit la main d'Idola sur son épaule, l'entendit répéter: «Je vous crois, Gabrielle, j'ai confiance en vous», mais déjà, il était trop tard, elle serrait la main de Thérèse.

C'est dans une sorte d'euphorie qu'elle prit seule le train pour Québec.

14

«J'aime une femme qui n'a pas de statut, j'aime quelqu'un qui n'a pas de nom, je suis amoureux d'un être sans identité», dit Émile, moqueur.

Depuis un an, il avait pris l'habitude de plaisanter à ce sujet; depuis que, le 24 avril 1928, la Cour suprême du Canada avait décrété que les femmes n'étaient pas des «personnes» au sens de la loi. Une requête avait en effet été présentée par le gouverneur général en vue d'obtenir une ordonnance; on voulait savoir si, dans l'Acte de l'Amérique du Nord britannique, le mot «personne» incluait également les hommes et les femmes. Il s'agissait de déterminer si les femmes pouvaient siéger au Sénat. Rien ne semblait s'y opposer; selon l'article 24, il suffisait d'être «une personne réunissant un certain nombre de qualifications». Mais ce jour-là la Cour suprême, après de longues heures de délibérations, en était arrivée à la conclusion qu'en 1867 il n'avait certainement pas été dans l'intention du législateur de rendre les femmes éligibles au Sénat. Par conséquent, celles-ci ne constituaient pas des «personnes» au sens de la loi.

— Je suis amoureux de personne, ajouta Émile.

Gabrielle soupira.

— Ne riez pas, je pourrais en profiter. Imaginez! Je pourrais commettre n'importe quel délit sans rien redouter, je pourrais disparaître sans qu'on me recherche, partir sans laisser d'adresse. Aux yeux de la loi, je ne suis rien; c'est un peu comme si je n'existais pas.

Ils étaient assis dans l'herbe et regardaient le fleuve au loin. Le temps était doux, il flottait dans l'air un parfum de vacances. Des enfants jouaient dans le square, leurs rires se mêlaient au chant de deux fillettes qui fredonnaient un cantique en se tenant par la main. Les fers des sabots claquaient, les roues des charrettes grinçaient sur les pavés, les oiseaux pépiaient dans les arbres.

— C'est très bien ainsi, vous n'existez pas pour les autres, vous n'existez que pour moi, fit Émile satisfait.

Elle fit mine de se fâcher, mais il se rapprocha et la regarda par en dessous.

— Je sens que je vais encore me répéter et vous dire les mots les plus vieux du monde.

Elle ne répondit pas, ferma les yeux, toute au plaisir de goûter ce moment qu'elle désirait depuis le matin. Quel bonheur de pouvoir retrouver Émile tous les jours! Jamais elle ne s'était sentie si amoureuse! Depuis une semaine, elle vivait dans un rêve dont elle ne sortait que pour dormir. Québec se révélait une ville passionnante à explorer, son expérience de travail lui plaisait et Émile se montrait le plus charmant des guides. Le plus entreprenant aussi, mais Gabrielle avait eu le temps d'y prendre goût.

Il lui chatouilla la joue; ses lèvres lui effleuraient l'oreille, glissaient doucement dans son cou. Elle se sentait délicieusement emportée, prête à se laisser couler dans une douce langueur. Émile le savait-il? Elle avait de moins en moins de force pour résister à ses caresses. Cent fois elle avait eu l'envie d'aller plus loin, cent fois elle avait réussi à repousser son désir, mais c'était souvent à son corps défendant qu'elle devait mettre fin aux avances d'Émile. Une fois encore, elle fut sauvée par la cloche qui sonnait une heure. Elle fit un premier effort pour se dégager, soupira et, à contrecœur, se libéra de la chaude étreinte des bras d'Émile. Il la retint par jeu, elle résista, il serra les doigts sur ses poignets.

— J'ai promis aux autres d'être là à deux heures. Laissez-moi, Émile, je dois m'en aller.

Il la fixait sans sourire.

— Je ne veux pas vous laisser partir…

— Je ne peux pas rester, dit Gabrielle d'un ton plus ferme.

— Je pourrais vous en empêcher.

Elle le regarda dans les yeux.

— Vous le pourriez. Mais le feriez-vous?

Il garda ses yeux dans les siens, ne répondit pas.

— Le feriez-vous? insista-t-elle.

Elle ne souriait plus.

— Je n'aime pas que vous partiez, dit-il, et il regarda ailleurs. Je voudrais vous retenir.

Elle contempla une touffe d'herbe qu'il avait arrachée en parlant. Il cherchait à rassembler les tiges vertes, écartait les brins jaunis.

— C'est vrai que vous agissez parfois comme un enfant gâté.

— Je n'aime pas votre travail, fit-il encore, l'air contrarié. Savez-vous de quoi vous avez l'air? D'une entremetteuse.

Gabrielle éclata de rire. Il est vrai que ses six protégées ne ressemblaient pas à des enfants de Marie. Évidemment il n'avait pas été possible de recruter des femmes-sandwiches parmi les bourgeoises. Les bonnes amies de Thérèse avaient toutes trouvé l'idée extrêmement originale sauf quand il s'était agi pour elles de se déguiser en placards publicitaires. C'est donc un peu au hasard que Gabrielle avait déniché ses marcheuses et elle n'avait eu qu'à se prêter au jeu. Bien entendu, Émile n'avait pas apprécié de la rencontrer rue Saint-Roch ainsi placardée et il s'était copieusement moqué d'elle.

N'empêche! Elle avait refusé du monde, des enfants surtout, mais aussi des femmes qui ne connaissaient rien au mouvement suffragiste. La publicité était efficace, même s'il fallait pour cela essuyer des moqueries et des commentaires pas toujours obligeants.

— Je sais que vous n'aimez pas ma petite bande de filles mais je me trouve bien chanceuse de les avoir rencontrées. Elles sont simples, directes et capables de remettre les hommes à leur place, si vous voyez ce que je veux dire. Je reconnais que l'expérience a ses limites, mais si je m'écoutais, je resterais une semaine de plus ici. Les gens de Québec me paraissent beaucoup plus ouverts que les Montréalais... En tout cas, ils commencent à manifester de l'intérêt pour la question du droit de vote. Il me semble que nous commençons à être comprises.

Il eut un mouvement d'impatience; il ne la retenait plus. Elle lui sourit, se mit debout, détacha les brins d'herbe qui adhéraient à son pantalon.

— Vous n'aimez pas mon travail, vous n'aimez pas mes amies, vous n'aimez pas mes vêtements, je me demande bien ce qui vous plaît en moi...

Il se leva à son tour.

— Tout, absolument tout, Gabrielle. Je suis amoureux de tout ce que je détesterais si vous n'étiez pas vous. Vous ai-je laissé croire que je n'aimais pas votre pantalon? Alors je suis prêt à me contredire, je suis absolument fou de votre costume. Et votre petite bande de copines donc! Vous avez mis le doigt sur mes contradictions, Gabrielle. Ce que j'aime en vous me déplaît chez les autres. Votre audace, votre manière de rire, peut-être même cette façon que vous avez d'allumer vos cigarettes. Tout, j'aime tout de vous.

Gabrielle le regarda pensivement.

— Je sais, la frontière est fragile. Vous pourriez aussi me détester...

— ... et pour les mêmes raisons qui me font vous aimer, c'est le risque du jeu. Tous les amoureux devraient savoir ça, dès le départ.

Ils restèrent un moment sans parler. Un petit nuage blanc venait de se poser devant le soleil; Gabrielle frissonna. Elle contempla Émile. Il était beau ainsi, ses rares cheveux remués par le vent. Comme je l'aime, pensa-t-elle, et elle lui sourit.

— Je vous aime, Gabrielle, ne partez pas tout de suite.

Pourquoi fallait-il que tout fût aussi difficile?

— On m'attend, Émile, je ne peux pas.

Elle se détourna et s'avança vers le banc où une bicyclette était appuyée.

— Non, comprenez-moi, je veux dire, ne partez pas demain, restez un jour de plus. Vous le pourriez, non?

Elle hésita.

— Oui, je le pourrais et j'en ai envie, je vous l'ai dit. Mais je rentre demain, Émile, je l'ai promis à Thérèse. Et à Adrienne et à Henri aussi... Vous voyez bien que j'existe pour les autres.

— C'est bien ce qui me désespère! Et si je vous interdisais de partir?

Gabrielle enfourcha son vélo sans répondre tout de suite. Elle prit le temps de contempler le ciel; il allait y avoir de l'orage. Sa voix lui parut sourde quand elle dit:

— Si vous m'empêchiez de partir, soyez certain que je vous détesterais.

Il vit qu'elle ne mentait pas. Il retint le guidon pendant qu'elle enfonçait son béret sur sa tête et qu'elle reboutonnait le col de sa veste. Il l'embrassa fougueusement mais déjà elle était ailleurs, planant sur ses deux roues.

— Vous avez eu une excellente idée de me prêter votre bicyclette, j'ai chaque fois l'impression de m'envoler.

Il ne disait rien, la regardait.

— Je vous déteste, lui dit-il, piteux.

— Et moi je vous aime. Vous voyez comme la vie est mal faite.

Elle riait.

— Je suis heureuse, Émile, lui dit-elle encore, comme pour le remercier. Et elle partit pour de bon.

15

Gabrielle rentra à Montréal à la date prévue; elle revenait avec une liste de nouveaux membres et quelques sous en poche. Thérèse fut si satisfaite de son travail qu'elle l'invita à l'accompagner à Québec l'année suivante. Il n'y eut cependant pas de présentation de projet de loi sur le vote des femmes en 1929: il s'agissait cette fois de proposer au premier ministre un certain nombre d'amendements au Code civil. Cela permit à Gabrielle de se replonger dans les dossiers de droit et de retrouver Marie-Mère qui était aussi de la délégation. La petite dame ne cessait de dénoncer les injustices commises au nom d'une loi qui continuait de traiter la femme mariée comme une mineure.

Le régime matrimonial de droit commun était celui de la communauté de biens et, à défaut de contrat de mariage notarié, les époux devaient s'y soumettre. Lors du décès du mari, la loi assurait à la femme la moitié des biens acquis durant le mariage. Mais c'est le mari qui, de son vivant, avait le droit de les administrer. Il pouvait en disposer sans le consentement de sa femme comme il pouvait aussi disposer de son salaire. Il y avait donc des cas extrêmement injustes où l'on pouvait voir un époux, à titre d'administrateur des biens de la communauté, recevoir le salaire gagné par son épouse et en disposer légalement.

Quelques années auparavant, Marie-Mère avait eu connaissance d'un cas particulièrement révoltant. Victime d'un grave accident, une femme avait dû être amputée d'une jambe. Les médecins lui ayant recommandé l'achat d'une jambe de bois, elle avait attendu l'argent versé par son assureur en guise de compensation pour s'en procurer une. Mais son époux avait invoqué d'autres besoins; il avait préféré se servir de la somme pour acheter une automobile.

L'histoire ne disait pas si la victime avait demandé l'aide des tribunaux, mais Gabrielle avait entendu parler d'une mésaventure où la justice était intervenue. C'était le cas d'une femme qui connaissait la réputation de Marie-Mère et qui avait été la voir à son bureau pour lui demander son aide. Elle travaillait comme caissière dans le commerce de son mari et, à même le salaire qu'il lui versait, elle avait réussi à mettre en banque une somme de dix mille dollars. Mais arrivé à l'âge mûr, le mari avait commencé à courir la prétentaine et, pour faire face à des dépenses extravagantes, il avait demandé à sa femme de lui donner la moitié de ses économies. Voyant la sécurité de ses vieux jours menacée, celle-ci avait tout bonnement refusé. C'est alors que le mari s'était rendu à la banque où il avait appris de la bouche du directeur que, en tant que chef de la communauté, il avait droit non seulement à la moitié mais à la totalité de la somme. Sachant combien cet homme était devenu dépensier et voyant qu'il risquait de dilapider leur fortune, le directeur avait refusé de verser l'argent au mari, préférant se laisser poursuivre devant les tribunaux. Marie Gérin-Lajoie n'y pouvait rien: hélas! elle n'avait fait que prévoir ce qui allait arriver.

Gabrielle se rappelait cette triste histoire, dont elle avait appris le dénouement peu de temps après la première manifestation à Québec; le directeur de banque avait été débouté et la femme avait perdu tout ce qu'elle avait amassé. Marie-Mère, qui revendiquait des réformes du Code civil depuis 1907, n'avait pas cessé de défendre les femmes contre ce genre d'abus imputables à la rigidité des lois.

Pour protester contre cet état de choses, Marie-Mère fit ce jour-là une remarquable plaidoirie qui allait plus tard être publiée en opuscule sous le titre *La Femme et le Code civil.* Après l'exposé, elle fut invitée, avec ses compagnes, à entrer dans le bureau d'Alexandre Taschereau.

— Vous auriez fait un bon avocat, lui dit le premier ministre.

— Si j'avais été un homme, je n'aurais pas hésité, répondit Marie, j'aurais fait comme mon père. Mais les filles, vous le savez peut-être, n'ont pas ce genre de choix.

Alexandre Taschereau avait lissé sa moustache d'un geste familier. Gabrielle l'observait pendant qu'il parlait; c'était la première fois qu'elle pouvait le voir de si près.

— Mais si vous aviez été avocat, vous n'auriez pas tant fait pour l'éducation de nos filles, vous auriez été trop occupée.

Marie l'avait regardé droit dans les yeux.

— Vous me connaissez bien mal, monsieur le premier ministre. J'aurais fait exactement la même chose. Et peut-être plus, si j'avais eu un peu plus de pouvoir.

Alexandre Taschereau avait préféré tourner la conversation à l'avantage de Thérèse. Celle-ci avait fait à son tour ressortir les principaux arguments qui auraient pu leur permettre d'obtenir gain de cause.

Impressionné par le sérieux de la délégation, le premier ministre exprima ce jour-là le désir de former une commission gouvernementale qui aurait pour but de réviser le Code civil selon les recommandations formulées.

Ce n'était pas tout à fait ce que les visiteuses attendaient, mais ce fut le «mieux que rien» avec lequel il fallut rentrer à Montréal. Plusieurs associations féminines exercèrent ensuite des pressions pour que des femmes fassent partie de ce comité, et Idola se rendit elle aussi à Québec. Bien entendu la demande ne fut pas écoutée; au mois d'août 1929, Alexandre Taschereau prit tout de même la peine d'écrire à Thérèse pour lui annoncer que la commission Dorion, à laquelle on avait donné le nom de l'honorable juge qui la présidait, était composée de «quatre distingués légistes bien au fait de la situation».

Il fallut plusieurs mois d'études avant que n'arrivent les premiers résultats. Grâce à Thérèse, Gabrielle put obtenir une copie du rapport.

— C'est intolérable, commenta Idola.

— À quoi d'autre vous attendiez-vous? demanda Adrienne. Est-ce que ce ne sont pas toujours les hommes qui font les lois?

La sœur de Gabrielle manifestait de l'intérêt pour la cause du suffrage et, de temps à autre, elle prenait part aux réunions informelles qui avaient lieu dans l'arrière-boutique de la librairie.

— Mais vous ne comprenez donc pas qu'il faut changer ces choses? s'impatienta Idola. Saviez-vous que les femmes ne sont même pas admises au barreau?

— Non, je ne le savais pas, répondit Adrienne. Mais je ne me vois pas en train de plaider.

Elle considéra Idola avec un intérêt amusé.

— Vous feriez certainement un très bon avocat; je pense que vous en seriez capable, dit-elle, admirative.

Idola ne sourit pas. Gabrielle continuait:

— Thérèse avait pourtant insisté auprès du premier ministre en disant qu'il serait logique que des femmes soient nommées commissaires.

— Mais comment pouvez-vous parler de logique, Thérèse ne se fie qu'à ses intuitions.

— Vous êtes injuste, Idola. Thérèse travaille beaucoup plus que vous ne le supposez et avec une grande efficacité. Mais elle a un mari et des enfants, elle se doit avant tout à sa famille.

— C'est justement ce que je lui reproche; elle fait passer notre cause au second plan.

— Elle ne peut quand même pas négliger ses devoirs! Et elle s'en tire admirablement bien, je trouve.

Idola haussa les épaules; elle boudait encore Gabrielle et se permettait des reproches toutes les fois que son amie travaillait «de l'autre côté».

— J'ai tout de même appris une bonne nouvelle aujourd'hui, fit Gabrielle qui cherchait manifestement à remonter le moral d'Idola. J'ai reçu une lettre d'Émile dans laquelle il m'annonce que le Conseil privé de Londres s'est enfin prononcé sur la question de l'éligibilité des femmes au Sénat. On en est arrivé à la conclusion que le mot «personnes» inclut le sexe féminin, ce qui renverse le jugement de la Cour suprême.

— C'est un jugement qu'on qualifiera d'historique, fit Idola, amère. Dommage qu'il nous vienne de l'étranger!

— Écoutez ça, dit Adrienne, qui s'était mise à fureter dans les dossiers.

Elle s'empara de la liasse de papiers et se mit à lire à voix haute:

— Article 187: «Le mari peut demander la séparation de corps pour cause d'adultère de sa femme.» Ça me paraît raisonnable, dit-elle. Mais écoutez la suite. Article 188: «La femme peut demander la séparation de corps pour cause d'adultère de son mari lorsqu'il tient sa concubine dans la maison commune.» Imaginez un peu ce qu'il me faudrait supporter si je surprenais Gabrielle dans le lit de Paul-Étienne, dit-elle en riant. Avez-vous déjà entendu quelque chose d'aussi stupide?

— Eh oui! répliqua Idola, cette loi aberrante est en vigueur depuis 1884. Mais j'en connais de meilleures; écoutez bien ce que ces messieurs de la commission Dorion répondent à nos demandes de révision. «En principe, disent-ils, l'adultère peut être une injure aussi dure à subir pour la femme que pour l'homme; quoi qu'on dise, on sait bien qu'en fait la blessure faite au cœur de l'épouse n'est pas généralement aussi vive que celle dont souffre le mari trompé par sa femme.» Et un peu plus loin: «Au cœur de la femme, le pardon est naturellement plus facile. L'opinion autour d'elle lui est indulgente et pitoyable; le mari trompé, lui, peut souffrir dans son âme tout autant et ne reçoit du dehors, pour le déshonneur dont sa famille est accablée, nulle sympathie; l'infidélité de sa femme l'expose aux morsures du ridicule.»

— Le blessure n'est pas aussi vive! Aussi bien dire que les femmes n'ont pas de cœur, pas d'honneur et qu'elles sont toujours prêtes à pardonner...

— Et que les hommes sont les pauvres victimes de l'infidélité conjugale...!

— Attendez la suite, écoutez leur conclusion. «Certaines revendications doivent être à notre avis résolument rejetées. Ou bien elles sont proposées pour remédier à un mal qui, en fait, n'en est pas un; ou bien elles suggèrent pour une infortune réelle, quoique isolée, un remède inefficace. Dans l'un et l'autre cas, la réforme serait néfaste. Car si les lois sont normalement un produit des mœurs, il arrive que, inversement, les lois aient sur les mœurs une influence qui peut être mauvaise. Elles peuvent à leur tour engendrer le mal ou aggraver un mal particulier en le généralisant.»

— Je ne suis pas sûre de bien comprendre, murmura Adrienne. Est-ce que ce sont vos suggestions qui risquent d'engendrer le mal?

Gabrielle leva les yeux de ses papiers.

— Qu'est-ce que tu en penses?

— Oh! je l'ai déjà cru, j'ai déjà pensé que vous étiez réellement mauvaises toutes les deux. Je pensais que vous étiez comme ces sorcières qu'on faisait périr par le feu dans l'ancien temps.

Il y eut un silence.

— Mais j'étais jeune, dit-elle, hésitante. Je pense qu'il faut avoir un peu souffert pour penser comme vous...

Elle contempla un moment ses ongles avant de demander:

— Et maintenant qu'on vous a refusé toutes vos demandes, qu'allez-vous faire?

Idola ne répondit pas. Elle était déjà en train de rédiger sa demande de révision. Gabrielle s'empara de la copie du rapport et la jeta dans la corbeille à papiers.

— C'est bien simple, Adrienne. Comme d'habitude, nous allons retourner à Québec et tout recommencer.

16

Ce jour-là, le compartiment était presque désert et Gabrielle eut un sourire de contentement. Seule sur la banquette, elle n'aurait pas à supporter le discours de quelque inconnu soucieux de lui agrémenter le voyage; les gens étaient parfois d'une décourageante indiscrétion avec leur désir de vous tenir compagnie.

Elle s'assit près de la fenêtre, non loin d'un jeune couple. Ceux-là ne risquaient pas de la déranger, ils se tenaient la main avec une expression d'extase. Gabrielle les observa quelques instants avant d'ouvrir son livre: le jeune homme, vêtu d'un complet neuf qui lui donnait l'air de poser pour une photo de noces, avait gardé sa casquette et fumait tranquillement en envoyant la fumée du côté de Gabrielle. Sa compagne — plus probablement son épouse —, également endimanchée, portait un costume de voyage trop grand pour elle, d'un gris démodé; une autre femme avait dû porter ce vêtement dans des circonstances similaires. Le chapeau contrastait avec le reste; c'était une petite cloche rose garnie d'un gros ruban de soie gris et de fleurs blanches; ces couleurs tendres mettaient une note de fraîcheur dans la tenue un peu triste, semblable à cette grise journée d'hiver. Les deux jeunes gens étaient assis côte à côte et regardaient dehors, leurs deux visages figés dans une même expression. Voyage de noces, conclut Gabrielle en ouvrant son livre à la page marquée par le signet.

Elle lut trois paragraphes avant de s'apercevoir qu'elle n'avait pas saisi un mot. Comme d'habitude, elle ne serait pas tranquille avant d'avoir repassé dans sa tête le film de son séjour à Québec; le voyage s'était terminé d'une manière qu'elle regrettait. Elle tira un mégot d'une pochette de son sac, une cigarette qu'elle avait dû éteindre précipitamment. Elle se rappela les paroles qu'Émile avait eues en la quittant tout à l'heure: «Je n'aime pas que vous fumiez en public, Gabrielle.»

Cela avait été dit avec une sorte d'indifférence qui ne l'avait pas alertée; Émile avait l'habitude de se prononcer sur ce qu'il aimait ou n'aimait pas. Elle avait fait craquer une allumette sans cesser de regarder autour d'elle ces personnes qui ne se souciaient nullement de ses gestes. «Je vous aime quand même», avait-il cru bon d'ajouter avant même qu'elle ne trouve à répondre et il l'avait embrassée très vite, comme pour s'excuser.

Gabrielle prit une bouffée qu'elle inspira profondément. Émile lui avait causé toute une surprise en venant la chercher à la gare dans l'automobile d'un ami. Elle était déjà montée en voiture mais jamais elle ne s'était assise sur la banquette avant. Ravie, elle avait examiné l'intérieur, apprécié le lustre soyeux du velours et le confort des sièges. Ils avaient roulé quelque temps en silence pendant qu'elle admirait le tableau de bord.

— Si elle avait été à vous, je vous aurais demandé la permission de la conduire. Vous ne savez pas combien de fois j'en ai rêvé.

— Vous pourrez l'essayer quand nous en aurons fini avec votre pèlerinage annuel.

Était-ce le ton de légère moquerie avec lequel il avait fait allusion au but de sa visite? Sa joie était tombée d'un coup.

Émile ne s'en était pas aperçu. Il se voyait sans doute déjà l'heureux propriétaire d'une grande berline noire.

— Pensez-y, Gabrielle, nous pourrions nous voir plus souvent.

La logique d'Émile lui avait échappé; elle ne voyait pas du tout comment ils pourraient se rencontrer plus fréquemment si Émile s'achetait une automobile. Le journaliste ne cesserait certainement pas d'avoir des horaires impossibles ni elle de travailler six jours par semaine. Par contre, ils pourraient profiter d'une plus grande intimité; elle avait souri à l'allusion, s'en était voulu ensuite d'avoir réagi si brusquement. Mais durant tout le reste de la journée, elle avait semblé contrariée.

Pourtant, cette visite au Parlement, la deuxième en deux mois, avait été particulièrement intéressante et, de l'avis de toutes ses compagnes, celle qui s'était déroulée dans la plus grande dignité. Elle avait eu lieu le 5 mars 1930, le jour du soixante-troisième anniversaire du premier ministre. Pour souligner l'événement, les membres de la Ligue des droits de la femme avaient fait déposer sur le pupitre d'Alexandre Taschereau un bouquet de soixante-trois roses rouges. Naturellement les membres de l'Alliance canadienne pour le vote des femmes avaient refusé de se plier à ce petit jeu.

— Par ses refus continuels d'appuyer nos demandes, monsieur Taschereau prouve qu'il n'est pas vraiment libéral. Pourquoi serions-nous aimables avec un homme qui fait preuve chaque année d'un impardonnable manque de jugement et qui ne craint pas d'agir comme notre pire ennemi? Est-ce qu'un pareil personnage mérite notre estime?

— C'est un geste symbolique, Idola, vous savez bien que les roses ont des épines, avait dit Thérèse, comme pour souligner la finesse de ses intentions.

— En effet, mais c'est vous qui risquez de vous piquer, avait rétorqué Idola.

De fait, le premier ministre ne s'était pas laissé convaincre. Il remercia poliment madame Pierre Casgrain. «Vous êtes «a good sport», je ne méritais pas de fleurs», dit-il, et il vota contre le projet de loi comme toutes les autres années. Irénée Vautrin, parrain du projet de loi, fut cependant appuyé par des discours remarquables prononcés par des hommes remarquables. Gabrielle trouva que les propos d'Athanase David faisaient beaucoup plus que plaider en faveur du suffrage. Il invita ses collègues à prendre conscience des changements qui s'opéraient dans la société de la province de Québec. Le fait de placer un bulletin de vote dans les mains des femmes n'allait nullement compromettre l'équilibre de la société. Selon lui, des problèmes autrement plus graves menaçaient de perturber le milieu, comme celui de toutes ces mères de famille forcées chaque matin de quitter foyer et enfants pour travailler dans des usines à un salaire dérisoire afin d'équilibrer le budget familial.

Beaucoup moins heureuse fut l'intervention du député Éphraïm Bédard qui soutint que le fait d'accorder le droit de vote aux femmes détruirait les foyers de notre province. Et comme pour ternir l'atmosphère si saine de cette assemblée, il proposa, en termes fort peu parlementaires, de renvoyer le projet non pas à six mois comme c'était l'usage, mais à neuf mois. Ce mot d'esprit fut bien entendu suivi des gros rires gras de certains représentants.

Le projet fut rejeté par un vote de quarante-quatre à vingt-quatre. Le résultat était meilleur que la dernière fois et encourageait les suffragistes à persévérer dans leurs efforts. Mais Gabrielle, fatiguée, se sentait vidée de tout enthousiasme. Elle refusa l'invitation de Thérèse à poursuivre les discussions au restaurant et préféra attendre Émile dans le hall; le journaliste en avait pour une heure encore à interroger les députés et à recueillir leurs commentaires. Pour sa part, Idola était partie précipitamment comme elle le faisait presque toujours, retournant le plus rapidement possible à Montréal où, disait-elle, le travail l'attendait. Gabrielle le regretta; elle aurait eu envie de parler, de se confier à une amie, de faire le point.

Elle était lasse de ces dénouements prévisibles. Mais Idola aurait-elle pu comprendre cette autre lassitude dont Émile se plaignait lui aussi? Leurs rencontres étaient trop brèves; ils n'avaient jamais le temps de se parler d'amour. Ils rêvaient tous deux de vivre quelques jours ensemble, sans horaire de train à respecter, sans contrainte de travail. Ils étaient las de ne pouvoir se retrouver ailleurs qu'au Parlement ou dans les restaurants où ils grignotaient du bout des lèvres en se dévorant des yeux. Émile logeait dans une petite chambre où il était strictement défendu d'inviter des jeunes femmes; la même loi s'appliquait bien sûr à la pension où Gabrielle avait pris l'habitude de séjourner. Les amoureux n'avaient alors guère d'autres possibilités que de s'embrasser dans les gares.

Le train venait de freiner brusquement et l'homme en complet neuf s'était levé; Gabrielle fut arrachée à ses pensées. À la dérobée, elle observa la jeune femme restée seule. Celle-ci n'avait presque pas bougé durant le trajet, mais, dès que son compagnon s'éloigna, elle se leva, lissa du plat de la main sa jupe de serge grise, retira son chapeau et recoiffa ses fins cheveux blonds. Comme si elle reprenait vie, remarqua Gabrielle. La jeune dame, paraissant tout à coup beaucoup plus à l'aise, se tourna vers Gabrielle et lui sourit gentiment.

— Est-ce que nous arrivons bientôt à Trois-Rivières?

Gabrielle l'ignorait, elle étira le cou dans l'espoir d'apercevoir une inscription.

— Nous venons de nous marier. (Elle n'attendait visiblement pas de réponse.) Nous allons nous installer chez son frère, je veux dire chez le frère de mon mari.

Elle fit une pause et, tout en regardant le sac de Gabrielle, elle continua de parler des personnes chez qui elle se rendait. Puis, d'un ton précipité, elle demanda:

— Excusez-moi de vous importuner mais j'ai oublié mes cigarettes. Auriez-vous la gentillesse de m'en prêter une...?

Gabrielle lui tendit son paquet. La jeune femme avait un briquet dans sa poche et s'en servit en habituée. Avec une sorte de fébrilité qui rendait ses gestes maladroits, elle aspira goulûment la fumée et la rejeta avec une égale volupté. Elle fuma quelques instants, disant combien cela était bon et la détendait mais sans cesser de regarder en arrière. Elle finit par avouer que son mari lui interdisait de fumer juste au moment où ce dernier apparaissait dans l'allée. Elle s'empressa d'éteindre, détachant d'une simple chiquenaude le bout enflammé qu'elle écrasa ensuite du talon tandis qu'elle glissait le mégot dans son corsage. Elle regagna promptement son siège, remit son chapeau et reprit sa place à côté de la fenêtre. En passant près de Gabrielle, le passager lui effleura l'épaule, accompagnant son geste d'un long regard insistant.

Gabrielle rouvrit son livre, essayant de se replonger dans son roman. Mais elle ne pouvait détacher les yeux du jeune couple. Avec son attitude de craintive soumission, cette femme l'agaçait, lui rappelait certains de ses comportements à elle lorsqu'elle fumait en cachette de son père. Elle se reconnaissait les mêmes manies: cette crainte mêlée d'excitation à l'idée d'être surprise! Certes elle ne se comporterait jamais de la sorte en présence d'Émile, non, certainement pas. Malgré ses commentaires désapprobateurs, Émile n'irait jamais jusqu'à lui interdire de fumer; il était beaucoup trop respectueux pour cela. Mais que la situation était donc compliquée! Depuis qu'il avait fait sa demande en mariage, il était d'une impatience qui allait jusqu'à l'irritabilité. Gabrielle ne voulait pas en parler tout de suite. Pas maintenant, c'est trop tôt, je ne suis pas prête, plus tard peut-être... disait-elle. Pourquoi? Elle n'aurait su le dire exactement. Il lui arrivait de prétendre qu'elle était trop vieille.

— Mais voyons donc, lui répondait Émile, mes parents avaient tous deux dépassé la trentaine quand ils se sont épousés.

— Et moi, lui lançait Charles Provencher, j'avais quarante-cinq ans quand j'ai épousé ta mère.

— Pour un homme, c'est normal, mais trente ans pour une femme, c'est déjà vieux, disait Gabrielle. Et elle le pensait.

Mais dans le secret de son cœur, elle tentait de démêler d'autres raisons plus confuses. Gabrielle aimait Émile, cela ne faisait aucun doute. Jamais elle n'éprouverait pour un autre homme ce qu'elle ressentait pour lui; c'était, pensait-elle, un sentiment tout à fait extraordinaire que, dans sa naïveté, elle croyait être seule à éprouver. Il y avait chez Émile une intelligence et une vivacité d'esprit qui en faisaient un être hors du commun et le plaçaient bien au-dessus des autres hommes. Elle s'estimait privilégiée d'avoir été choisie par cet être remarquable, d'autant plus qu'il l'avait attendue pendant plus de cinq ans. Mais à côté de ce qui lui semblait un sentiment unique et harmonieux flottaient de légères incertitudes.

Ce n'était pas à proprement parler des doutes, non, c'était difficile à définir, c'étaient de très légères et très discrètes mésententes. Certes, ils ne s'étaient jamais disputés, le mot mésentente était peut-être trop fort; il s'agissait plutôt de divergences de vues sur des sujets sans réelle importance. Par exemple, cette toute petite désapprobation qu'il manifestait quand elle lui parlait de son travail, tout au plus un froncement de sourcils, quelque chose de si ténu qu'il ne fallait sans doute pas s'en préoccuper outre mesure.

Émile était un homme ouvert, il n'était pas comme Paul-Étienne. Jamais il n'empêcherait Gabrielle de travailler après le mariage, cela, il le lui avait encore répété pendant qu'elle s'assoyait au volant. Et il l'avait félicitée en constatant avec quelle rapidité elle avait appris à manœuvrer l'automobile, avait répété combien il appréciait les femmes qui faisaient preuve d'habileté.

— Si vous pouviez être aussi rapide dans vos décisions, je serais un homme comblé.

Il faisait bien sûr allusion au fait qu'elle s'entêtait à refuser. Il avait été particulièrement tendre ensuite et ils avaient agréablement profité du moment d'intimité que leur fournissait la voiture couverte et chauffée. Il était revenu à la charge, la pressant de fixer une date pour le printemps. Si elle ne l'avait pas si bien connu, elle l'aurait soupçonné de lui tendre un piège. Car c'est à ce moment qu'elle avait déraisonné et qu'elle avait prononcé ces paroles regrettables.

— Et si j'acceptais votre proposition, si je vous disais oui, là tout de suite, est-ce que vous seriez prêt à me suivre à Montréal?

C'était une idée complètement folle mais c'était bel et bien celle qui lui avait traversé l'esprit. Elle s'était vue un instant, au volant de cette belle voiture noire, filant droit devant elle, Émile à ses côtés. Il n'y avait pas de mariage, pas de cérémonie, seulement Émile et Gabrielle en train de rouler sur une route bien lisse. Cette idée, c'était son idée du bonheur, et c'était cette idée seulement qui l'avait poussée à formuler une invitation qu'elle jugeait maintenant déraisonnable.

Bien entendu, Émile aurait été d'accord pour la suivre au bout du monde, encore fallait-il qu'il y eût un journal au bout du monde et un employeur désireux de le faire travailler. Tout de même un peu surpris par ce brusque revirement, il n'avait pas hésité à dire:

— Je suis prêt à tenter l'aventure, Gabrielle, mais donnez-moi d'abord votre promesse...

Elle n'avait pas osé reculer, avait prononcé le «oui» attendu. Sur le moment elle était sincère, le mot avait franchi ses lèvres sans qu'elle y prît garde et avec un bel accent de vérité. Mais elle le regrettait à présent comme si elle avait commis une grosse bêtise; elle aurait voulu pouvoir revenir en arrière et effacer ce moment de légèreté. Elle en était là; le train cependant continuait d'avancer; elle aperçut au loin le pont de Trois-Rivières.

Elle téléphonerait à Émile sitôt rentrée. Non, elle lui écrirait plutôt, ce serait plus facile, elle aurait le temps de peser ses mots. Ce beau sentiment qu'elle avait pour lui, il fallait le laisser s'épanouir au grand jour. Il ne fallait pas l'enfermer. Pas tout de suite en tout cas…

Le train avait ralenti; Gabrielle reprit son livre, vit la petite gare. La jeune femme blonde avait dû la voir aussi, elle regardait par la fenêtre, son visage attentif appuyé contre la vitre grise. Gabrielle préféra se plonger dans sa lecture au moment où le jeune couple passa près d'elle, mais elle les observa pendant qu'ils rassemblaient leurs bagages sur le quai. Elle eut droit à un sourire complice auquel elle répondit et murmura «bonne chance». Ses mots firent un petit nuage de buée qui disparut aussitôt sur la vitre.

17

Des livres s'entassaient partout sur les comptoirs parmi un fouillis de papiers. Gabrielle pestait contre le désordre quand elle aperçut Idola qui venait vers elle.

— J'ai une nouvelle étonnante à vous apprendre.

Idola avait cette voix si particulière qu'elle prenait pour annoncer ses moindres projets. Sa présentation variait rarement, c'était du même ton faussement solennel qu'elle avait fait part à Gabrielle d'un projet de concours offrant deux prix de cinquante dollars pour des écrits sur le féminisme. Mais c'était aussi de cette manière qu'elle l'avait informée de sa collaboration quotidienne au *Montreal Herald*. Pour cette femme dynamique, rien n'était banal; elle était continuellement en quête de nouvelles idées pour faire connaître «sa» cause.

— Cette fois, vous allez me traiter de folle, ajouta-t-elle. Mais je préfère attendre l'heure de la fermeture pour entendre vos reproches, lui dit-elle encore, dans le but de ménager ses effets.

Gabrielle n'y voyait pas d'inconvénient; elle avait du retard dans la comptabilité. La *Librairie des deux mondes* marchait au ralenti depuis quelques semaines, et des fournisseurs habituellement peu pressés de se faire payer s'impatientaient. L'un d'eux avait entamé des poursuites; il faudrait lui retourner des livres en guise de paiement. Henri Chapados s'était mal remis d'une opération à la jambe qui avait entraîné deux longs séjours à l'hôpital, et il avait laissé plusieurs comptes impayés. Par ailleurs, l'économie du pays roulait également au ralenti, et toutes les entreprises commençaient à se ressentir d'un malaise qui allait chaque jour s'accentuant. Le chômage sévissait partout, beaucoup d'infortunés ne pouvaient compter que sur la charité publique ou sur la générosité des communautés religieuses.

Gabrielle avait sagement mis de côté ses projets de déménagement dans un local plus spacieux et ne commandait que le strict minimum pour sa clientèle d'habitués. Ceux-là, des professeurs pour la plupart, quelques étudiants aussi, passionnés de littérature, faisaient passer la lecture avant le reste. Mais pour les autres qui avaient l'habitude d'acheter un livre de temps à autre ou de s'approvisionner en magazines et en illustrés, ces achats devenaient prohibitifs. Gabrielle ne savait plus quoi faire pour attirer la clientèle.

— Je ferais mieux de me remettre à vendre des statues et des chapelets; il n'y a que les articles religieux qui marchent. Je ne sais plus quoi inventer pour piquer la curiosité des clients.

Elle éteignit les lumières de la vitrine où elle avait collé des photographies d'Émile Nelligan et de Robert Choquette.

— Vous devriez vous balader avec des pancartes sur la poitrine, fit Idola, moqueuse.

En se remémorant l'expérience, Gabrielle eut un franc sourire qui désarçonna son amie. Idola dut regretter sa remarque; cette diversion risquait de lui faire rater son effet.

— Vous serez surprise, je vous préviens, insista-t-elle.

Elle inspira profondément avant de demander:

— Soyez franche, Gabrielle. Ne pensez-vous pas que les femmes ont des droits égaux à ceux des hommes?

— Oui, évidemment…

— Ne pensez-vous pas que les femmes connaissent mieux que les hommes les problèmes se rattachant à la famille? Ne pensez-vous pas que leurs enfants ont besoin d'être protégés par des lois de santé publique?

— Vous savez bien que…

— Écoutez-moi. Ne pensez-vous pas qu'une Canadienne française, digne représentante de sa race, est tout aussi qualifiée qu'une femme de langue anglaise pour siéger au Parlement?

— Bien sûr, Idola.

— Eh bien, vous avez un bon aperçu de ce que sera ma campagne électorale. Je vous annonce que je serai candidate aux élections fédérales.

Gabrielle ouvrit grand les yeux.

— Mais vous êtes folle!

— Je savais que vous ne me croiriez pas. Ne craignez rien, je sais que je n'ai aucun espoir d'être élue, mais je me présente quand même. Il y aura une candidate libérale indépendante dans la circonscription de Dorion–Saint-Denis, et ce sera moi.

— Vous êtes formidable et joliment courageuse, Idola, reprit Gabrielle, sincère.

— Oui, je sais, je n'ai peur de rien, on me l'a assez répété. Je suis d'ailleurs parfaitement consciente que je n'ai pas fini de me faire des ennemis. On dira que je suis prétentieuse, que j'ai la tête enflée, que je jette mon argent par les fenêtres. On dira n'importe quoi, comme d'habitude! Vous seule pouvez comprendre que mon but n'est pas de me mettre en vedette mais de porter la question de l'influence politique des femmes à l'attention de tous. Principalement de ceux qui ne soupçonnent même pas de quoi nous sommes capables.

Idola rayonnait littéralement; Gabrielle ne l'avait jamais vue si radieuse.

— Oh! Gabrielle, pensez-y, quel troublant paradoxe! Une femme peut poser sa candidature dans une élection fédérale alors qu'elle n'a même pas le droit de voter dans sa province. C'est un non-sens que je me devais d'exploiter. Je suis certaine que cette campagne va nous attirer des sympathies, favoriser notre cause et peut-être précipiter notre victoire! Naturellement j'aurai besoin de votre aide, ajouta-t-elle plus humblement.

— Naturellement, je vous l'accorderai. Je vous ferai des affiches, je me promènerai avec des placards sur le dos s'il le faut.

Elle riait.

— Ne vous moquez pas trop, gardez votre humour pour plus tard; nous allons en avoir besoin.

Idola venait de donner le ton. C'est ainsi que débuta son aventure électorale, qui allait être aussi celle de Gabrielle. Avec l'aide de plusieurs amis et grâce à l'appui financier de tous les membres de l'Alliance, celle qu'on allait bientôt appeler «la féministe la plus en vue de l'heure» se lança bravement dans la mêlée. Ce fut l'occasion de vraies retrouvailles pour les deux femmes; leur collaboration reprit de plus belle. Gabrielle dut non seulement voir à la publicité mais également s'occuper de l'organisation générale, louer des salles, convoquer des réunions, jouer les présentatrices.

Ce fut un mois de juin torride. Certaines de ces assemblées publiques furent passablement mouvementées; il fallait un peu plus que du courage pour affronter les moqueries et les injures: il fallait le stoïcisme d'Idola et son apparente indifférence. Encore fallait-il qu'on la laissât parler; les piliers d'assemblées politiques ne lui laissaient pas toujours l'occasion de le faire.

Dans des sous-sols d'églises enfumés, des hommes vinrent nombreux au début, attirés par la nouveauté; certains raffolaient de ces distractions populaires qui viraient au jeu de massacre. On sifflait, on criait, on lançait des papiers sur la scène et sur les orateurs, des papiers ou des bouteilles de bière, tout ce qu'on avait sous la main. En retrait, quelques femmes, des amies, des clientes de la librairie, des collègues d'Idola, regardaient le désolant spectacle. Certaines repartaient dégoûtées. «Ce n'est pas la place des femmes. Laissons ces champs de bataille aux hommes!»

«Mais comment pourrons-nous nous faire entendre si nous n'allons pas parler avec eux? Il faut avancer sur leur terrain, il faut parler leur langage.» Gabrielle répondait avec de moins en moins de conviction. Leur langage, c'était le gros rire gras et la blague grossière. Il n'y avait pas de dialogue possible.

Imperturbable, Idola attendait que cesse le vacarme comme elle aurait attendu la fin d'une averse. Elle parlait clair et net:

— Prétend-on refuser aux femmes le droit de vivre et de jouir de la dignité et de l'indépendance que le travail confère à tout être? Que penserait-on d'une législation qui contraindrait tous les hommes à exercer la même profession ou le même métier? Ne commet-on pas la même absurdité en tentant de condamner toutes les femmes au mariage, en ne leur reconnaissant d'autres fonctions que la maternité?

On répondait par des huées, on n'écoutait pas la moitié du temps, on se moquait de son langage, de ses manières un peu raides et si peu féminines, on lui criait des noms. Le jour où elle prononça son fameux discours sur l'aristocratie des sexes, un homme monta sur la scène et se livra à une danse grotesque. Il avait bu, il était soûl; il fallut se mettre à quatre pour le faire sortir. Idola gardait la tête haute. Gabrielle en arrivait à souhaiter des salles vides. Et en effet, quand les curieux se faisaient plus rares, Idola était presque soulagée. «Nous serons plus à l'aise», disait-elle en matière de présentation. Ses discours étaient soigneusement préparés et, avec son ton inimitable de professeur de français, elle obtenait souvent un meilleur succès devant de petits auditoires.

Au cours du mois que dura la campagne électorale, on nota une sensible augmentation du nombre de femmes dans l'assistance. Une grande amie d'Idola, la doctoresse Grace Ritchie England, était également candidate et causait de semblables remous dans la circonscription de Mont-Royal. Pour la première fois dans la province de Québec, des femmes osaient se présenter aux élections fédérales. Si on discutait fort dans les salons, on n'en parlait pas moins dans les cuisines; l'audace de ces deux téméraires ne laissait pas grand monde indifférent.

«Elle a du front tout le tour de la tête», commenta Charles Provencher qui ne dédaignait pas l'atmosphère houleuse des assemblées. C'était un compliment; il avait fini par adopter cette drôle de vieille fille qu'il surnommait la batailleuse. Gabrielle put suivre Idola dans presque tous ses déplacements sans essuyer les reproches de son père. Son appui la stimulait; elle en avait besoin, elle était surmenée. Ce fut bien sûr un mois épuisant qui ne lui donna guère le temps de faire autre chose. Joli prétexte pour ne pas écrire à Émile qui commençait à s'impatienter. Elle s'en voulait un peu, se trouvait des prétextes pour ne pas expliquer ce qu'elle ne comprenait pas. Elle observait sa sœur Adrienne et ne l'enviait pas. Y avait-il moyen de conserver l'amour intact sans l'enfermer? Cette idée l'obsédait. Elle regardait Idola, si fière, si droite, si libre. Mais si seule!

Le 28 juillet 1930, les conservateurs s'emparèrent du pouvoir avec cent trente-sept sièges. Les libéraux obtinrent pour leur part quatre-vingt-huit sièges dont quarante et un au Québec. C'est un des leurs qui fut élu dans Dorion–Saint-Denis, ce dont Idola ne fut nullement surprise. Elle fut davantage étonnée d'apprendre que trois mille personnes avaient voté pour elle.

Il s'en trouva pour dire que les femmes de la province ne voulaient pas du droit de vote puisqu'elles n'avaient pas réussi à faire élire une des leurs, mais il y en eut pour applaudir cette impressionnante performance. Ce soir-là, une fête s'improvisa dans l'arrière-boutique de la librairie. Après tout ce qu'elle avait vu d'opposition et de contestation, Gabrielle n'avait pas un instant prévu un succès aussi retentissant.

— Trois mille femmes probablement...

— En tout cas, trois mille personnes sensées, Gabrielle.

— J'aimerais toutes les rencontrer et leur serrer la main. Je commençais à me demander s'il y avait encore des gens raisonnables autour de nous. Cela me rassure, Idola.

— C'est la preuve qu'il ne faut sous-estimer personne. Parmi les «gros rires gras», il y en avait peut-être un ou deux qui ont fini par se taire et par écouter la voix de la logique.

— Ou la voix du cœur, Idola. Vous les avez conquis ces gens, vous les avez séduits les uns après les autres.

— C'est vrai. Et c'est un cercle d'amis qu'il ne faudra pas négliger, n'est-ce pas?

Gabrielle regarda Idola; elle avait son ton enthousiaste des jours de grandes décisions.

— Je vous vois venir. Je parie que vous allez me parler d'un autre projet.

— Vous êtes très perspicace! Justement, j'ai eu une idée en entendant les résultats du vote. Il serait temps que l'Alliance ait son propre bulletin d'information. Avec tous les appuis que nous venons de recueillir, nous n'aurions pas de mal à trouver des commanditaires.

Gabrielle lança un bref coup d'œil autour d'elle. Des livres s'entassaient partout sur les comptoirs parmi un fouillis de papiers et de factures.

— Je ne sais pas si je pourrai vous aider autant que je le voudrais, fit-elle dans un soupir.

Idola lui tapota affectueusement l'épaule.

— Je crois avoir trouvé un nom pour notre revue... Que pensez-vous de *La Sphère féminine*?

18

Au cours du dernier mois, Gabrielle avait reçu deux lettres d'Émile; la première était tendre, presque suppliante, la seconde contenait une bonne dose de reproches. Sans se départir de son humour, le journaliste jouait de tout son art pour paraître insouciant mais Gabrielle percevait entre les pointes d'ironie qu'il était à bout de patience. Quelques jours après les élections, au moment où elle s'apprêtait à lui écrire, elle reçut une troisième missive. Excédé par son inexplicable silence, Émile se disait irrémédiablement déçu par une attitude qu'il jugeait humiliante et empreinte de malhonnêteté. «Les influences néfastes que vous subissez m'incitent à croire que vous êtes devenue réellement méprisante à mon endroit et que vous cherchez à m'infliger des humiliations semblables à celles que les hommes font subir aux femmes.»

On peut penser qu'il désapprouvait l'engagement politique de Gabrielle; sans doute avait-il été mis au courant de ses nouvelles occupations, mais il n'en fit pas directement mention dans sa lettre. Au lieu de cela, il lui reprochait son silence et son impardonnable manque de franchise. «Vous m'avez menti, Gabrielle. Vous le saviez pourtant, c'est une faute que je n'excuse pas, surtout quand elle est commise par une personne que j'estime.»

Peinée par le ton sec et désapprobateur d'Émile, elle lui écrivit à son tour, souhaitant lui faire part des raisons profondes qui la poussaient à remettre sa décision à plus tard. Mais comment expliquer ce que l'on ne parvient pas à comprendre soi-même? Elle s'embrouilla, recommença, s'acharna plusieurs heures sur des pages raturées et finit par lui envoyer un billet où elle s'excusait poliment de ne pas pouvoir répondre à sa demande. «Vous avez peut-être raison. Le mépris dont toutes les femmes sont victimes, cette atteinte à leur dignité humaine, m'affecte plus profondément que je ne le voudrais. Je vous demande donc de me dégager de ma promesse, je ne me sens pas prête à la tenir et sans doute ne le serai-je pas avant que nous ayons, nous les femmes, retrouvé notre droit de parole. Si j'osais, je vous demanderais de m'attendre jusqu'à ce jour où l'on nous rendra notre dignité, mais je ne m'en sens pas le droit. J'espère néanmoins que vous me conserverez votre amitié.»

Une gifle aurait sans doute été moins cruelle; la lettre resta sans réponse. Gabrielle n'avait certainement pas souhaité un silence aussi absolu. Elle attendit, éplucha le courrier de chaque jour, d'abord avec impatience, ensuite avec de moins en moins d'espoir. Il lui arrivait de regretter son attitude pour aussitôt se reprocher sa faiblesse.

Les jours et les semaines qui suivirent furent pénibles pour la jeune femme; les mois et les années allaient être terribles pour tout le monde. La récession économique engendrait une pauvreté, une misère qui n'épargnait que quelques privilégiés. Le chômage sévissait partout, plus spécialement dans les villes surpeuplées par les nombreux itinérants qui venaient y trouver refuge. Montréal exerçait une fascination sur les chômeurs des petites villes qui s'y rendaient dans l'espoir de trouver du travail; le paysage urbain s'en trouvait modifié. Des hommes et des femmes pouvaient faire la queue durant des journées entières devant les manufactures dans l'espoir de travailler une heure ou deux. Les refuges pour miséreux ne suffisaient plus. Durant les nuits d'été, il n'était pas rare de voir des familles installer leur maigre bagage dans des cours désaffectées pour y camper. Au petit matin, certains propriétaires de restaurants, qui payaient leurs plongeurs avec des restants de table, voyaient souvent des files d'attente devant leur vitrine, des centaines d'affamés qui ne voulaient pas rater l'ouverture. Plusieurs magasins et petits commerces durent fermer leurs portes.

Les prix baissaient mais les revenus des citoyens étaient presque nuls. Les maisons et les logements étaient négligés, l'état des rues se détériorait, les constructions restaient en chantier. Des locataires incapables de payer leur loyer avaient beau protester contre d'injustes expulsions, ils se retrouvaient comme les autres sur le pavé. Quelques services publics procédèrent à des mises à pied ou réduisirent leurs effectifs au minimum; on supprima des tramways parce que les autobus étaient moins coûteux.

Charles Provencher fut l'un des premiers touchés et, comme la plupart de ceux qui perdaient leur emploi, il fut atteint dans sa dignité. Les bons de secours transmis par la société Saint-Vincent-de-Paul qui permettaient de se procurer de la nourriture, des vêtements, du bois et du charbon ne pouvaient pas redonner leur fierté à ceux qui s'étaient toujours vantés de subsister sans l'aide de personne. Avec son obstination coutumière, le père de Gabrielle refusa le secours des organismes de charité. Pire, il s'entêta à repousser l'argent que sa fille lui proposait. «J'aimerais mieux fumer des patates que de te devoir une cenne noire, ma fille. Quand je n'aurai plus d'argent, je serai aussi bien dans le ventre de la terre.» Son entêtement faisait peine à voir: il se privait de manger pour s'acheter du tabac. Les Provencher n'étaient pas riches mais ils n'étaient pas dans le besoin; le salaire de Gabrielle aurait pu suffire à payer le loyer sans qu'elle eût à toucher à ses économies. Mais le vieil homme s'obstinait: jamais il ne se résoudrait à profiter de l'argent des autres. Gabrielle ne savait comment le raisonner; il tenait des discours excédés contre le gouvernement, contre les syndicats, contre les journalistes, contre les curés et, bien sûr, contre ses filles.

La récession économique prit peu à peu des proportions alarmantes dans tout le pays. Le chômage frappait partout, dans les campagnes comme dans les villes. La famille de l'oncle Victor réussit à s'en tirer sans mal, mais les parents de Paul-Étienne, qui possédaient une petite ferme non loin de la frontière américaine, furent forcés d'abandonner leur terre et de déménager à Sherbrooke; le jeune homme les aida du mieux qu'il put. Même si la plupart des agriculteurs avaient du mal à joindre les deux bouts, on prônait le retour à la terre.

Malgré une très légère reprise des affaires, Gabrielle redoutait la faillite de la librairie. Elle tenta de consacrer toute son énergie à son travail et interrompit quelque temps ses activités au sein de la Ligue et de l'Alliance. Elle continua néanmoins de tenir des réunions et de faire circuler des livres dans l'arrière-boutique de la librairie. Cela ne nuisait pas au commerce; la bibliothèque était fréquentée par un petit groupe d'abonnés qui y venaient avec plus ou moins de régularité. Selon Gabrielle, il valait mieux faire rouler les stocks que de les laisser s'empoussiérer. Elle ne ménageait pas ses efforts pour intéresser les gens à la lecture; les livres peuvent nous sortir de toutes les dépressions, disait-elle.

De son côté, Idola avait fait une bonne promotion auprès de ses amies de Westmount et lui amenait des clientes. Elle aurait sans doute préféré que sa protégée s'en tînt à des ouvrages purement éducatifs mais elle ne protestait pas quand

Gabrielle y allait de suggestions plus divertissantes. Son incursion dans l'arène politique n'avait pas radouci la féministe bien qu'elle parût moins vindicative et moins autoritaire; les souvenirs remués par la misère la rendaient plus silencieuse. Les difficultés économiques avaient au moins le mérite de rapprocher les gens et de développer un esprit d'entraide et de solidarité réconfortant; les deux mondes se côtoyaient enfin dans l'arrière-boutique de la librairie.

Même s'il y eut une présentation de projet de loi, Gabrielle n'alla pas à Québec en février 1931. Il est probable qu'elle se priva de son pèlerinage annuel pour éviter une rencontre avec Émile, mais elle prit la peine de retranscrire dans son journal les résultats de cette cinquième défaite.

Ce fut Irénée Vautrin qui parraina le projet de loi, appuyé par les sages discours de deux députés conservateurs. Ceux-ci insistèrent sur l'importance croissante du rôle des femmes dans la vie économique de la nation; l'un d'eux déclara même que le refus des autorités provinciales plaçait le Québec dans une situation dégradante. Un autre député exposa un point de vue selon lequel les femmes avaient fait preuve d'un vif intérêt pour la chose politique en votant aux élections fédérales de 1930. Mais il y en eut d'autres pour manifester une violente opposition au projet de loi. Un jeune député libéral s'exprima avec une telle virulence qu'on eut l'impression qu'il cherchait à se faire le porte-parole de tous les opposants. Alexandre Taschereau avait l'air satisfait en l'écoutant, et pas une des spectatrices ne fut surprise quand le projet fut de nouveau rejeté. Fait à noter, le vote des ministres, également partagé — cinq pour, cinq contre —, prouva que l'idée commençait à faire son chemin dans la tête de ces messieurs.

C'est pourtant l'opinion publique tout entière qu'il aurait fallu sensibiliser. En cette période où l'on commençait à reprocher aux femmes de voler des emplois aux hommes, il devenait indispensable de prendre la parole et de rétablir les faits. La radio, parce qu'elle entrait dans une majorité de foyers, était une tribune idéale. Peu après l'inauguration de la station de Radio-Canada, Thérèse réussit à obtenir une émission régulière sur les ondes de la radio d'État. L'équipe d'animatrices prit soin d'inviter des hommes, professionnels ou hommes d'affaires, qui acceptaient de se prononcer en faveur des revendications des femmes. La cause gagna des adeptes chaque jour. Avec une belle constance, Idola entretenait sa vieille rivalité avec Thérèse; pour ne pas être en reste, elle parvint à se faire inviter plusieurs fois à l'antenne de CKAC.

Le printemps fut accueilli avec soulagement et apporta une période de douceur aux Provencher. Quelques jours après que Gabrielle eut fêté ses trente-deux ans, Adrienne mit au monde son premier fils. En l'absence de Paul-Étienne retenu auprès de ses parents, la jeune femme accoucha dans la maison paternelle et, pendant quelques semaines, elle put réintégrer son ancienne chambre et profiter de l'hospitalité familiale. L'arrivée de l'enfant eut un effet étonnant; le nouveau-né réussit ce qu'aucun événement n'avait encore accompli au sein de la petite famille: rapprocher le père et ses deux filles. Lorsque Charles Provencher prit son petit-fils dans ses bras, sa colère fondit comme les dernières mottes de neige dans la cour. «Maintenant, je pourrai mourir en paix», murmura-t-il en laissant les larmes couler sur ses joues mal rasées. Mais il se surprit à sourire au nourrisson et se remit à chantonner dans sa chaise berçante. Quand Paul-Étienne revint de Sherbrooke, le vieil homme insista pour garder l'enfant durant quelques jours, le temps qu'Adrienne reprenne des forces chez elle.

Gabrielle resta elle aussi sous le charme du petit Rodolphe et se laissa aller à fredonner des berceuses, elle qui chantait abominablement faux. À sa sœur qui l'accusait d'offenser les oreilles de toute la maisonnée, elle répondait en riant. Les enfants ont l'oreille de leur cœur, disait-elle, attendrie, un doigt emprisonné dans la menotte de l'enfant.

Des jours moins agréables s'annonçaient cependant; à la fin de l'été, Gabrielle assista, impuissante, à la fermeture de la *Librairie des deux mondes*. C'est sans manifester d'émotion que Henri Chapados observa les huissiers lorsqu'ils vidèrent le petit local. Mais dès qu'ils eurent quitté les lieux, il s'effondra. Gabrielle le consola du mieux qu'elle pouvait, elle-même demeurant curieusement calme; le fait qu'elle ait réussi à cacher à la vue de ces vautours les six caisses de livres appartenant à la bibliothèque lui redonnait espoir. «Nous recommencerons, Henri, vous verrez, nous n'aurons pas de mal à nous trouver un autre local.»

Elle le croyait sincèrement. Avec ses économies et son petit stock de volumes comme mise de fonds, elle rêvait déjà d'une librairie où les gens pourraient indifféremment acheter ou louer des livres. Et pendant quelques semaines, elle vécut en dehors de la réalité, toute au plaisir de savourer les jours qui s'écoulaient doucement. Les périodes de chômage sont souvent fertiles pour les gens actifs. Gabrielle en profita pour remettre de l'ordre, autant dans sa vie que dans ses papiers. Elle classa ses dossiers, retapa les discours d'Idola; elle prit également une semaine de vraies vacances avec son père pour aller saluer l'oncle Victor et en profita pour faire la paix avec ses cousines. Elle revint rassérénée, presque heureuse. Dans cet état de grâce, elle ne put résister au désir d'écrire à Émile. Elle lui envoya deux lettres coup sur coup, deux lettres joyeuses et insouciantes mais dans lesquelles elle ne parvenait pas à se confier et à admettre ses craintes.

Son humeur s'assombrit. Déjà les jours raccourcissaient, et c'est avec une certaine angoisse qu'elle vit les beaux arbres du parc Bellerive se dépouiller de leurs feuilles. Une partie de ses économies avait servi à dépanner Adrienne; elle dut y puiser encore pour acheter du charbon. À l'idée de dépenser le reste, elle paniqua. Les premiers froids arrivèrent bientôt, et elle passa les premières semaines de l'automne à chercher du travail. Elle eut de la chance: on engageait des femmes en prévision du temps des Fêtes dans les grands magasins.

Dans les beaux quartiers, des enfants se pressaient contre les vitrines, leurs regards perdus dans la contemplation des jouets qu'ils n'auraient pas pour étrennes. Gabrielle leur souriait de loin; vous ne perdez rien pour attendre, aurait-elle voulu leur dire, il y a plus que du plaisir à désirer. Mais le contraste était tout de même frappant entre les gens qui n'avaient rien et ceux qui s'arrêtaient derrière ses comptoirs. Pendant que certains n'avaient même pas de quoi se nourrir, d'autres festoyaient dans les salons. Gabrielle boudait les activités de la Ligue depuis que Thérèse organisait des soirées mondaines et des bals de charité. Car c'est bien sûr à ces femmes élégantes et à ces hommes bien mis qu'elle montrait des colliers de perles et des bijoux de prix, des foulards de soie aux motifs recherchés, des gants de cuir aussi doux que la peau humaine. En cette période où l'on manquait du nécessaire, il y avait quelque chose d'indécent à vendre des objets inutiles.

Elle s'acquitta sans entrain de ces tâches et fut presque soulagée quand on la congédia, après les soldes de janvier.

19

Gabrielle arriva au pas de course, essoufflée et inquiète, mais constata avec satisfaction que le train était encore là. Elle repéra rapidement le wagon où ses collègues s'étaient installées, hésita entre les deux groupes; les membres de l'Alliance occupaient la moitié du compartiment et tournaient résolument le dos à leurs consœurs de la Ligue. Elle salua Thérèse, bavarda quelques instants avec Georgette Lemoyne qu'elle n'avait pas vue depuis longtemps, mais le coup d'œil autoritaire de sa vieille amie lui fit comprendre qu'elle ferait bien de la rejoindre. Encombrée comme toujours de piles de dossiers, Idola dégagea le siège à côté d'elle; elle lui avait gardé une place près de la fenêtre.

— Je vous prie d'excuser mon retard, j'ai eu toutes les peines du monde à partir de la maison.

— Votre père?

— Oui. Il ne va pas bien; j'ai failli ne pas venir.

— Les hommes vieillissent mal quand ils sont oisifs; quand ils n'ont plus leur travail pour se glorifier, ils perdent toute leur superbe.

— Ne dites pas cela, Idola. C'est difficile d'être sans emploi, j'ai bien du mal à m'y habituer moi-même et ce n'est pas faute d'occupations.

— Vous ne cesserez jamais de défendre les hommes, n'est-ce pas?

Gabrielle ne répondit pas. Le train avait démarré et commençait doucement à avancer. Elle se tourna vers la fenêtre pour savourer le moment du départ. Elle ne comptait plus ses voyages en train mais le plaisir était toujours aussi vif. C'était l'irremplaçable soulagement de laisser les préoccupations derrière soi, mêlé à la joie presque enfantine d'avancer sans effort. Cette sensation n'était pas sans lui rappeler celle qu'elle ressentait dans sa petite enfance quand son père la transportait sur ses épaules; ses premiers voyages, elle les avait faits ainsi perchée. Elle se surprit à sourire; elle avait de plus en plus souvent recours à des souvenirs pour tenter d'interpréter ses comportements. Mais les résultats demeuraient vagues et décevants, aussi peu révélateurs que le sont les photographies, et son père demeurait l'étranger qu'il avait choisi de devenir. Mais n'était-ce pas mieux ainsi? Quand donc cesserait-elle de vouloir tout changer? L'image de son père revint la hanter pendant quelques secondes; elle la chassa d'un brusque mouvement de la tête, regarda Idola qui attendait visiblement une réaction de sa part et l'examinait de ses petits yeux inquisiteurs.

— On vous attend à Québec?

— Non, fit Gabrielle, ennuyée, je rentre par le train de huit heures.

Émile n'avait répondu à aucune de ses lettres. Elle était déçue d'avoir à le dire à Idola, laquelle ne manquait jamais de s'informer poliment de ses amours. Trop poliment du reste et avec une pointe d'insistance qui ne manquait pas d'irriter Gabrielle.

— L'avez-vous prévenu, au moins?

— Je lui ai écrit la semaine dernière; il n'a certainement pas eu le temps de me répondre.

Elle le défendait lui aussi. Pourquoi?

— En tout cas, il sait que je viens, murmura-t-elle comme pour elle-même.

Le silence du journaliste l'avait blessée dans son amour-propre; elle ne comprenait pas pourquoi il s'entêtait à refuser l'amitié qu'elle lui proposait. Mais pouvait-on honnêtement appeler amitié le sentiment qui la portait vers lui malgré toutes ses résolutions? Elle eut un mouvement d'impatience pour repousser les pensées obsessionnelles qui risquaient de gâcher le voyage qu'elle avait minutieusement préparé.

— J'ai recopié plusieurs de vos discours, Idola. Ce serait bien si vous obteniez la possibilité de parler après le vote des députés. Pensez-vous que vous leur feriez offense en prenant cette liberté?

— Je ne suis jamais à court de discours, fit-elle, maussade. Quant à la liberté, c'est un état d'esprit qui ne convient guère dans une assemblée de parlementaires telle qu'on la connaît. Tant qu'ils seront là, il faudra bien respecter leurs règles du jeu, ma fille!

Idola rougit, se tourna vers la fenêtre. Savait-elle combien elle était désagréable parfois et combien son comportement était tyrannique? Gabrielle la considéra d'un œil sévère, fut tentée de la rabrouer mais l'autre continuait, mal à l'aise et peut-être repentante:

— J'ai parlé à monsieur Plante hier; il a bon espoir d'influencer quelques-uns de nos adversaires.

— C'est étrange, Idola, mais j'ai un pressentiment. J'ai l'impression que nous allons marquer un grand coup aujourd'hui.

— Ne vous fiez pas trop à votre flair, Gabrielle. Soyez un peu logique dans vos raisonnements.

Gabrielle n'était pas seule à se bercer d'illusions; les femmes étaient venues nombreuses et enthousiastes et, pendant toute la durée du trajet, chacune y alla de ses prédictions les plus optimistes. Au bout de quelques minutes, les vieilles rancunes finirent par tomber devant l'empressement que chacune mettait à défendre «la» cause, et Thérèse vint se joindre aux conversations. Elle aussi était confiante mais Idola se montrait résolument pessimiste.

— Je suis simplement réaliste, et vous le savez bien. Tant que Taschereau sera premier ministre, nous n'arriverons à rien. Vous devez bien savoir qu'il en fait une question personnelle et que notre victoire serait pour lui une véritable défaite. Un nouveau gouvernement est notre seul espoir.

Thérèse la regardait pensivement.

— Vous croyez?

— C'est évident. Vous qui connaissez si bien les rouages des partis, vous devriez commencer tout de suite à sensibiliser celui qui pourrait éventuellement remplacer Alexandre Taschereau. C'est le moment ou jamais d'utiliser vos relations et de parfaire vos stratégies.

— Vous avez peut-être raison... Il faudrait prendre les devants. J'ai tellement l'impression que rien ne bouge.

— Vous avez tort. Il est possible que les choses bougent moins dans votre milieu mais de notre côté, c'est tout le contraire. Nous avons la chance d'avoir dans nos rangs des femmes remarquables comme Laure Gaudreault et Yvette Charpentier, des femmes qui s'inquiètent des conditions de travail de leurs collègues, des femmes qui savent ce qu'elles veulent et qui sont prêtes à prendre les moyens pour y arriver. Non, croyez-moi, la relève est là!

— Je l'espère. Je ne voudrais pas avoir tant travaillé pour rien...

Idola la considérait rêveusement.

— Vous pourriez vraiment nous aider si vous n'étiez pas si bourgeoise…

Les vieilles rancunes étaient tenaces. Thérèse pinça les lèvres.

— On peut être une femme d'action dans tous les milieux. Je ne sais pas ce que veut dire être bourgeoise. J'ai certainement à cœur autant que vous le sort des travailleuses.

— Je ne vous juge pas.

Gabrielle crut bon d'intervenir.

— Vous n'allez pas vous disputer alors que nous sommes si près du but?

Non, elles ne se disputèrent pas. D'autres avaient commencé à discuter mais le ton était cordial. «Le temps est venu», répétait-on inlassablement comme pour se persuader. Les changements importants survenus avec la crise ne manqueraient pas d'alimenter les débats de cette année. Beaucoup de femmes qui avaient été résolument hostiles au principe commençaient à changer d'idée et à se montrer favorables au droit de vote; on ne pouvait plus dire que les suffragettes représentaient une minorité. Les émissions de radio avaient considérablement influencé l'opinion publique. Malheureusement, c'est sur leur intuition que les soixante-quinze passagères allaient devoir faire une croix. Car si la séance de l'année 1932 fut mémorable, ce fut d'abord et avant tout à cause de son déroulement grotesque et du mauvais goût des interventions.

Dès son arrivée au Parlement, avant même d'atteindre les galeries, Idola fut la risée d'un petit groupe de députés qui avaient entendu parler de sa défaite électorale.

— Qui est cet être hybride qui a renoncé aux attributs de la femme pour se transformer en garçon manqué? Regardez-la. Ce n'est pas difficile de comprendre pourquoi elle n'a trouvé personne pour l'épouser.

— Oui, et c'est cet épouvantail qui rêvait de devenir député! La plus fanée et la plus sèche, évidemment! Même pas foutue de se mettre du rouge à lèvres et de s'habiller comme du monde! Et dire que ça se prend pour un homme et que ça voudrait damer le pion aux politiciens...!

— C'est pas avec les trente votes de ses petites amies de femmes qu'on peut se faire élire, hein ma belle? Tu ferais mieux d'apprendre à coudre au lieu de te promener dans une poche de patates!

Idola poursuivit dignement sa montée vers les galeries; elle en avait entendu d'autres. Sachant qu'il valait mieux ne pas répondre, histoire de ne pas attiser la haine de ses détracteurs, elle réussit à ne pas dire un mot.

Les esprits cependant avaient eu le temps de s'échauffer, et les députés qui avaient commencé à se moquer entraînèrent leurs collègues à leur emboîter le pas. Pendant toute la durée de la séance, chacun y alla de son petit commentaire marqué de vulgarité, si bien que le discours du docteur Anatole Plante, laborieusement récité au milieu des rires et des blagues, passa pratiquement inaperçu. Les discussions se prolongèrent pendant près de deux heures avec des propos qui ne volaient pas plus haut que la ceinture. Le député de Laval alla même jusqu'à interpeller Idola, lui offrant tout bonnement de lui prêter son pantalon.

Toutes ces platitudes et insultes firent rire le premier ministre à gorge déployée: décidément on avait l'air de s'amuser ferme au Parlement! Il faut dire que la dernière élection avait passablement rebâti la confiance d'Alexandre Taschereau; son gouvernement venait d'être réélu avec soixante-dix-neuf sièges contre onze seulement pour les conservateurs. Un avenir politique on ne peut plus souriant en cette période d'instabilité économique!

Exaspérée, Gabrielle gardait les yeux fixés sur les journalistes. Depuis qu'Émile avait fait son entrée à la suite des députés, elle ne l'avait pas perdu de vue, guettant ses moindres mouvements. Dieu qu'il était séduisant avec cet air grave et pénétré! Selon son habitude, Émile paraissait agacé par le comportement des parlementaires. Mais il prit des notes avec une application qui ne lui était pas coutumière. Gabrielle eut plusieurs fois l'impression qu'il regardait en direction des galeries, mais comment en être sûre à cette distance? Et puisqu'il ne vint pas ensuite à sa rencontre et la laissa retourner à la gare sans même venir la saluer, elle conclut qu'il était déterminé à ne plus la revoir.

Elle reprit le train le cœur gros et dans un état d'abattement que partageaient ses compagnes. En dépit de toute leur bonne volonté, les femmes étaient ébranlées par cette bataille absurde et par la persistante opposition des députés. On ne peut pas dire que les manières et les tactiques d'Idola faisaient l'unanimité au sein des groupes de femmes, mais toutes reconnurent qu'elle avait été traitée injustement. Idola se montra remarquablement digne et accueillit les témoignages de compassion avec cette froideur hautaine qui lui avait déjà valu tant d'animosité; mais ensuite elle prit Gabrielle par le bras et l'entraîna à l'écart.

— Vous êtes fatiguée, venez, nous serons plus tranquilles ici.

Gabrielle protesta:

— C'est vous qui êtes épuisée, Idola. Pourquoi ne pas l'admettre pour une fois...?

— Je l'admets, oui, je suis fatiguée, tannée, oui, êtes-vous contente? C'est vrai, je devrais le dire plus souvent, ça fait du bien, c'est infiniment libérateur, mais croyez-vous que cela m'enlèvera ma colère? Oui, Gabrielle, je suis fatiguée de porter le flambeau du raisonnement, tannée de me buter à la médiocrité humaine, «fatiquée et tannée», pour parler comme les autres.

Pendant quelques minutes, Idola continua de se défouler avec son faux accent populaire. Gabrielle ne put s'empêcher de sourire en l'écoutant.

— Vous auriez eu un franc succès en parlant devant les députés, vous leur auriez cloué le bec. Vous êtes encore plus convaincante quand vous perdez votre beau langage.

Elle s'interrompit, la contempla, rieuse.

— Je vous aime quand vous laissez tomber votre froideur...

Idola la regarda, les yeux brillants, et, pendant une seconde, Gabrielle eut l'impression qu'elle allait pleurer. Mais la sévérité reprit sa place sur le fin visage.

— Ma froideur, ma froideur! Vous savez bien que c'est une manière de cacher mon ardeur...

Oui, Gabrielle le savait, et elle respectait sa réserve. Mais combien elle aurait apprécié de sa part un peu moins de reparties brillantes et un peu plus de chaleur humaine.

Les deux femmes se toisèrent en silence. Idola s'assit et regarda pensivement par la fenêtre; elle avait remis son masque.

Gabrielle ouvrit son livre; elle trouva le trajet du retour interminable et rentra chez elle sans entrain. Elle allait cependant avoir une agréable surprise quelques jours plus tard en trouvant dans le courrier des journaux de Québec où figurait en bonne place le nom d'Émile Gariépy sous la plume duquel les commentaires étaient particulièrement piquants. Émile terminait son article en citant un texte de Victor Hugo. «Redoublons de persévérance et d'efforts. On en viendra, espérons-le, à comprendre qu'une société est mal faite quand l'enfant est laissé sans lumière, quand la femme est laissée sans initiative, quand la servitude se déguise sous le nom de tutelle, quand la charge est d'autant plus lourde que l'épaule est plus faible; et l'on reconnaîtra que même au point de vue de notre égoïsme, il est difficile de composer le bonheur de l'homme avec la souffrance de la femme.»

Gabrielle reçut l'article comme un présent; Émile n'avait pas joint de lettre à son envoi, mais son geste fut interprété comme un signe de réconciliation. Gabrielle découpa soigneusement l'article et le glissa dans un cahier comme un gage d'amour. Ce papier, de même que beaucoup d'autres, allait faire couler de l'encre et alimenter les discussions. Car, pour une fois, les journalistes s'étaient donné le mot pour rendre compte de ce qui se passait réellement au Parlement et avaient décrit avec force détails le déroulement des débats.

Révoltées par ces descriptions, alertées par le ton des délibérations, de nombreuses associations féminines protestèrent contre ce qui se passait au Parlement; Gabrielle put lire leurs lettres de sympathie dans les journaux durant les semaines suivantes. Tous les jours durant un mois, les quotidiens en publièrent qui provenaient de tous les coins du monde.

À la suite du débat indécent de 1932, Idola exerça des pressions, et l'Alliance tenta de soustraire la question du suffrage du domaine politique pour la confier à la magistrature. En vue d'obtenir l'opinion de la Cour d'appel sur la constitutionnalité de la condition politique des femmes du Québec, une requête fut adressée au lieutenant-gouverneur, demandant l'autorisation de porter la cause devant les tribunaux. Le procureur général, l'honorable Alexandre Taschereau, refusa cette autorisation.

Une fois de plus, il fallut repartir à zéro.

20

À petits coups brefs et répétés, Idola secoua son parapluie sur le mur de ciment. Gabrielle aperçut sa silhouette qui se dessinait derrière les vitres de la porte d'entrée et s'empressa d'aller ouvrir avant que son amie n'appuie sur la sonnette.

— Mon père s'est endormi, lui dit-elle, un doigt sur les lèvres. Venez au salon, nous serons plus tranquilles.

Idola préféra garder son manteau, elle était pressée, elle voulait repartir avec ses épreuves corrigées.

— Ce ne sera pas long, ajouta-t-elle, je n'ai que deux articles à vous faire relire. Ce sont les derniers, je tiens à m'assurer qu'il ne reste pas de fautes.

Avec une légitime fierté, elle étala les feuillets sur une petite table basse. C'était le premier numéro de *La Sphère féminine,* la revue à laquelle elles avaient toutes deux travaillé depuis des mois. Le résultat était d'autant plus satisfaisant que le projet avait exigé presque trois ans d'efforts. Afin de rejoindre le maximum de lectrices, la publication était bilingue; Idola avait elle-même traduit en anglais la plupart des textes et recruté une trentaine d'annonceurs.

— Nous ne sommes pas au bout de nos peines: un commanditaire a voulu se désister hier et la banque nous a refusé un emprunt. Mais j'ai réussi à convaincre une chapelière et un dentiste de mettre une annonce dans le prochain numéro. J'ai bien peur toutefois que ce ne soit pas avant l'année prochaine.

— J'aurais aimé vous être un peu plus utile, fit Gabrielle, plus contrariée que contrite.

La santé de son père avait été pour elle une source d'inquiétude durant les dernières semaines. Le vieil homme ne quittait plus son lit, ne mangeait plus, ne consentait à avaler qu'un peu de lait chaud ou des bouillons. Il parlait de sa mort avec insouciance; il l'avait introduite dans la maison comme un personnage familier. Aucun signe de sénilité pourtant chez cet homme de soixante-dix-sept ans; au contraire, il semblait prendre plaisir à lancer de petites phrases narquoises laissant entendre que sa disparition serait un soulagement pour tout le monde. Mais lui qui se vantait de faire coucher la mort dans son lit, avec le curieux sens de la contradiction qui le caractérisait, se plaignait amèrement quand sa fille devait le laisser seul. Gabrielle ne se privait pas de sortir et de vaquer à ses occupations mais se le reprochait chaque fois. Et si *cela* survenait durant son absence...? Comme si la mort était moins cruelle quand on est deux pour la regarder, comme si on pouvait l'arrêter.

Gabrielle lut les textes rapidement, et n'y trouva pas de fautes.

— Nous arriverons à cinquante-cinq pages. C'est excellent pour un premier numéro.

— Vous avez de quoi être fière, Idola.

Elle avait parlé sans entrain. Idola la scruta de son froid regard indéfinissable.

— Votre père ne va pas mieux, n'est-ce pas?

Gabrielle la fixa sans répondre. Idola rangea ses papiers et se dirigea vers la porte. Mais elle se ravisa soudain et, après avoir retiré son manteau, elle vint s'asseoir sur la causeuse à côté de Gabrielle.

— J'ai quelque chose à vous dire, Gabrielle...

D'une voix altérée par l'émotion, celle qui n'avait jamais auparavant manifesté d'intérêt pour la famille de son amie, celle qui avait toujours évité comme une malédiction de parler de sa vie privée, abandonna sa réserve et se mit à se confier.

Dans le salon silencieux, par petites phrases brèves et saccadées, comme si le fait de parler lui demandait un suprême effort, comme si elle devait puiser les mots très loin au fond de sa mémoire, Idola se laissa aller aux confidences. Elle lui parla de l'immense fatigue qui l'envahissait parfois et à laquelle elle avait de plus en plus de mal à résister. Et puis, doucement, comme si elle accordait la parole à une autre voix, sourde et lointaine, elle lui révéla son secret, lui raconta «les moments qui avaient laissé des marques».

Elle lui parla de la guerre, de ces jours de misère où une épidémie de grippe espagnole avait fauché des milliers de gens et séparé des multitudes de familles, de cette horrible grande mort qui n'avait épargné personne, et qui lui avait ravi l'être auquel elle tenait le plus au monde.

Et, tout doucement, elle raconta comment elle avait découvert un jour une petite fille dans une ruelle. C'était en sortant de l'une de ces cliniques improvisées où elle assistait des malades agonisants. Une enfant de sept ans était assise sur le ciment et sanglotait. Idola s'était penchée sur elle; l'enfant pleurait de rage et d'impuissance. Elle l'avait patiemment interrogée; dans son visage noir, les yeux de la fillette étaient immenses et brillants de larmes; elle venait d'assister à la mort de sa mère. Elle avait faim, elle avait soif, elle avait mal. Idola l'avait recueillie; elle lui avait donné à manger, elle lui avait donné à boire, et ensuite, sans trop s'en rendre compte, elle lui avait donné de l'amour. Et à la stupeur de son entourage, elle avait donné son nom à cette petite fille noire qu'on appelait dans son dos la petite négresse.

Idola se tut pendant quelques instants puis, comme si elle regrettait ses confidences, elle demanda à Gabrielle de l'excuser.

— J'ai bien peur que le récit du malheur des autres ne soit pas d'un grand réconfort quand on souffre comme je sais que vous souffrez. Ma fille est morte peu de temps après; elle a suivi ses parents. Et je pourrais vous dire que la mort d'un enfant est plus injuste que celle d'un vieillard, mais ce n'est pas vrai, Gabrielle, la mort est toujours injuste, même quand elle s'attaque à ceux qui nous ont mal aimés. J'ai perdu mon père et ma mère; ils sont morts alors que j'étais très jeune et, je vous le dis, ils me manquent encore, je les pleure encore tous les jours. Vous entendez, ce n'est pas un encouragement, c'est la vérité toute simple, vous n'oublierez pas votre douleur. Elle vous rendra plus forte, c'est vrai, mais ce sera pour supporter d'autres épreuves...

Elle s'interrompit un moment, tourna les yeux vers la fenêtre; le ciel avait pris des reflets bleutés, il avait cessé de pleuvoir.

— Vous me croyez insensible, n'est-ce pas, vous pensez que rien ne peut m'atteindre...

Gabrielle garda le silence. Elle aurait voulu remercier Idola pour sa sincérité, pour avoir abandonné la raison raisonnante, mais elle ne dit rien, se contenta de prendre la main de cette femme qui avait attendu si longtemps pour partager sa peine.

Idola se leva. Elle s'était ressaisie et reprenait son porte-documents. Mais avant de partir, elle s'excusa une seconde fois.

— Je n'aurais pas dû... On ne peut rien contre la mort des autres.

Gabrielle allait méditer ses paroles. Car même quand on s'y est préparé, même quand on a déjà vu la mort rôder autour d'un lit, elle n'en devient pas plus supportable. Et même si on l'a déjà souhaitée à quelqu'un, oh! bien inconsciemment et sous le coup de la colère ou dans le repli le plus secret d'un rêve qui échappe à la volonté, on n'en est pas moins remué jusqu'au fond. Ce fut le cas pour Gabrielle même si elle mit du temps à réagir. Il faut dire que, quand elle pénétra dans la chambre de son père, quelques jours seulement après cet entretien, et qu'elle le vit, la bouche grande ouverte, elle crut qu'il dormait. Elle n'avait pas fait attention, n'avait pas remarqué les yeux qui fixaient le vide du plafond. Elle n'avait pas remarqué le silence.

Avançant sur la pointe des pieds, elle alla écarter un pan du rideau pour laisser entrer un peu de lumière. La fenêtre était ouverte sur l'une de ces chaudes journées de printemps et une brise tiède entrait dans la chambre. La vie bruissait dehors, des enfants poursuivaient un chien dans la ruelle tandis qu'en sens inverse s'avançait une charrette bringuebalante. Des draps que Gabrielle avait pris plaisir à étendre après le déjeuner séchaient sur la corde et claquaient au vent. Encore pleine de cet air doux et grisant, c'est en fredonnant qu'elle avait accompli le rituel du matin. Elle s'attarda à contempler le feuillage neuf des arbres; le vert acide des jeunes pousses découpait des grappes moussues et floconneuses, comme des nuages verts sur le fond bleu du ciel. En cet instant, le monde était beau et vibrant.

Ce serait bon de sortir, pensa-t-elle, et peut-être le dit-elle à voix haute car c'est alors seulement qu'elle prit conscience du silence de la chambre. Et avant même de se retourner et de fixer les yeux vides de son père, elle sut qu'il ne respirait plus.

C'est pour cela sans doute, parce qu'elle s'était sentie si vivante un instant plus tôt, si plaisamment réchauffée par la tiédeur printanière, qu'elle eut cette réaction en apercevant les yeux de son père: elle ne voulut pas l'admettre. On ne peut admettre ce qu'on ne comprend pas, et elle ne comprenait pas que son père ne soit plus là. D'abord elle se mit à lui parler avec la voix un peu rude qu'elle prenait pour l'inciter à manger et lui ordonna de se réveiller. Et puisqu'il ne bougeait toujours pas, elle se fâcha et se mit à le chicaner. Il n'avait pas le droit de lui jouer un tour pareil, il n'avait pas le droit de s'en aller au moment où elle allait sortir deux chaises sur la galerie. Tout en sachant qu'il ne l'entendait plus, elle continua ses remontrances jusqu'à ce qu'elle n'ait plus de mots et que sa colère fût épuisée.

Le silence la força à relever la tête. Elle eut un petit rire nerveux en apercevant sur le miroir de la table de nuit le reflet de son œil, un œil surpris qui la regardait, image absurde et dérisoire de sa solitude toute neuve figée là. Assise au bord du lit, avec ce curieux sang-froid dont on s'étonne ensuite, elle ferma la bouche et les yeux du mort, et demeura immobile, une minute ou une heure, dans un état second.

Bien que l'idée de se lever lui parût insupportable comme si le geste avait demandé un effort surhumain, elle réussit à se rendre à la cuisine. C'est là seulement qu'elle émergea de sa léthargie. Mais plutôt que de téléphoner à Adrienne comme elle aurait dû le faire, elle fit chauffer une pleine bouilloire d'eau et la versa dans le récipient qu'elle utilisait pour laver son père. C'est ce qu'elle fit quand l'eau fut chaude: elle dévêtit son père et lui fit sa toilette.

Elle avait besoin de ce dernier contact; ses gestes l'apaisèrent. Elle lui parla pendant qu'elle le lavait, lui disant qu'il n'aurait plus froid ni mal, lui parla doucement, comme on parle à un enfant. Elle le rasa ensuite, tailla sa moustache, coupa tant bien que mal les mèches trop longues dans son cou, les ongles de ses mains et de ses pieds avant de l'habiller. Cette dernière opération fut longue et laborieuse; le soleil se couchait quand elle l'acheva. Elle eut du mal à refaire le lit avec les draps qui avaient séché au grand air, elle dut traîner le corps en le glissant, mais elle tenait à ce que son père repose sur une couche propre.

Adrienne pleura beaucoup, Gabrielle ne versa pas une larme. À sa sœur qui lui reprochait son insensibilité, elle répondit sans colère: «Je l'ai pleuré quand il était vivant, c'est assez.» Elle était sincère, pensant qu'elle échapperait à la douleur parce que longtemps auparavant, elle avait porté le deuil de celui qu'elle avait aimé et haï avec une égale ferveur.

Elle se trompait.

21

Le temps n'efface rien. Gabrielle l'apprit à ses dépens, elle qui attendait que la blessure se refermât avec l'obstination qu'elle avait héritée de son père. Comme si elle devait absolument lui ressembler pour se souvenir, elle s'enferma dans sa solitude, se cloîtra dans la maison. Sans savoir qu'on ne se remet pas de la mort de ses proches.

Les conseils d'Idola et ses efforts pour la sortir de sa passivité n'eurent pas d'effet immédiat. Il fallait que le temps passât et que Gabrielle le vît passer; ensuite elle pourrait se lever et marcher droit. Ce ne fut pas long: elle avait plus d'appétit que son père, elle ne pouvait rester longtemps sans manger.

Avec ses économies, elle aurait pu tenir durant des mois, mais le goût de travailler lui revint. Pour commencer, elle fit la queue avec les autres afin de pouvoir coudre des manches et des cols de chemise: pour deux heures de travail, elle recevrait trente sous. C'est ainsi qu'elle apprit à faire des coutures droites et à taper du pied. Sa patience et son endurance lui ouvrirent d'autres portes; elle passa des après-midi à remplir des flacons de pilules avant de trouver un emploi plus stable dans une manufacture de biscuits.

Ces petites tâches mécaniques et ingrates propres à entretenir sa morosité, elle les accomplissait sans ardeur, dans un état proche de l'hébétude. Quand les jours sont de la même couleur, ils finissent par tous se ressembler. Son travail terminé, il lui restait encore du temps pour s'ennuyer: le silence de la maison lui pesait. Bien que la porte de sa cage fût grande ouverte, elle ne se décidait pas à sortir. «Il y a des blessures qu'on doit garder ouvertes», écrivit-elle dans le cahier où elle notait son emploi du temps. Les rares textes qu'elle rédigea durant cette période étaient brefs et décousus; ils exprimaient un profond désarroi.

On ne sait exactement ce qui la poussa à déménager, peut-être seulement le besoin de fuir ce grand logement vide. Quoi qu'il en soit, six mois après le décès de son père, elle vendit les meubles de famille et loua une chambre, rue Ontario. La pièce était vaste, elle put y installer un petit bureau, se fit un intérieur à son goût, épingla des photographies sur les murs. Ce premier acte d'autonomie fut certainement celui qui allait la faire revenir du côté des vivants; elle se remit à tenir son journal. Son loyer et ses dépenses étaient suffisamment modestes pour lui permettre d'économiser. Le petit pécule qu'elle avait déjà amassé, qui contenait toujours l'héritage de sa mère, était presque intact; elle se mit en tête de le grossir, recommença à rêver. Naturellement, cela n'alla pas sans quelques privations; elle cessa de fumer et d'acheter des revues françaises, renonça à quelques voyages à Québec.

Il y eut toutefois des moments difficiles, sa nouvelle solitude lui paraissant parfois intolérable. Elle ne voyait presque plus Adrienne et avait cessé de fréquenter Blanche; toutes deux avaient des familles, elle était seule. Orpheline! Et pour toujours! Les mots tournaient dans sa tête, elle se couchait pour ne plus les entendre; encore fallait-il trouver le sommeil!

Pour empêcher ses pensées de tourner en rond, elle retourna s'occuper des petits malades de l'hôpital Sainte-Justine, reprit contact avec les membres de la Fédération, revit Marie-Mère. La petite grande dame de soixante-six ans, bien qu'elle eût abandonné la plupart de ses activités, continuait de travailler à son traité de droit. Où trouvait-elle son énergie?

— La patience se nourrit de la douleur, Gabrielle. Les souffrances ne sont jamais tout à fait perdues, vous verrez...

— Mais je n'ai plus de patience, justement. J'en ai assez de ne pas avancer. Vous souvenez-vous de ma détresse alors que j'étais une toute jeune fille privée de liberté? Eh bien, c'est la même que je ressens devant ce qui me reste de vie. Je suis demeurée quinze ans en arrière, comme la cause que nous défendons.

— Vous n'êtes pas en mesure d'apprécier votre progression. Vous vous bornez à regarder les résultats.

— Mais ils sont si décevants.

— Raison de plus pour persévérer. Gardez les yeux fixés sur votre but, comme pour notre cause. Rappelez-vous que l'opposition des hommes est comme un roc que nous usons lentement avec nos ongles. Nous gagnerons à l'usure, pas par la raison.

Assurément non, pas par la raison; elle ne tenait plus qu'à un fil bien ténu, la raison; il fallait être un peu plus qu'obstiné pour continuer de croire en des chimères. Car le bilan n'avait rien de réjouissant; encore heureux qu'on pût trouver des volontaires pour continuer cette absurde croisade! Comme ce brave docteur Plante qui, pour une deuxième année consécutive, avait accepté de parrainer la proposition de 1933. Avec une audace qui dut surprendre son chef, il rappela combien son gouvernement était rétrograde en comparaison de ceux des autres provinces: «Les Canadiens français ont un grand défaut. Ils sont satisfaits d'eux-mêmes à tel point que, convaincus de leur propre perfection, ils oublient de regarder ce qui se passe autour d'eux.» Cette petite phrase aurait pu en faire réfléchir plus d'un mais la réflexion n'était pas prisée de tous les députés; il s'en trouva d'autres pour répliquer au docteur Plante que les neuf provinces canadiennes n'étaient pas plus florissantes depuis que les femmes avaient obtenu le droit de voter. Le projet fut défait par cinquante-cinq voix contre vingt.

La huitième tentative fut faite par le docteur Gaspard Fauteux l'année suivante; ce fut un huitième échec. Ensuite, ce fut le député libéral Edgar Rochette qui accepta de défendre la cause. Brillant orateur, il prononça, après une importante assemblée qui réunissait tous les mouvements féministes au palais Montcalm, un plaidoyer vibrant et convaincant en faveur du suffrage. Seulement vingt-quatre députés pourtant lui donnèrent leur appui. Ce qui retint davantage l'attention fut l'intervention du député Robert Bachand qui déclara très sérieusement que, puisque les cigarettes et les cocktails n'étaient plus une prérogative masculine, le moins que ces dames pussent faire était de laisser le domaine politique aux messieurs.

Ces défaites avaient de quoi décourager les femmes les plus persévérantes, mais les élections de 1935 allaient raviver leurs espoirs. Durant la campagne électorale, la publication d'un ouvrage dénonçant l'incompétence et la corruption du gouvernement en place laissa supposer qu'Alexandre Taschereau ne serait pas réélu. C'est en tout cas ce que souhaitaient les suffragistes et quelques autres qui crurent jusqu'au dernier moment que l'opposition Gouin-Duplessis avait suffisamment ébranlé l'opinion des électeurs pour faire pencher la balance de leur côté. Mais le Parti libéral garda le pouvoir avec une mince majorité. L'année suivante, une dixième présentation fut faite par Fred Monk, député de l'Union nationale. La surprise fut grande d'y entendre l'ancien député Rochette, récemment nommé ministre du Travail dans le cabinet Taschereau, qui avait si vaillamment défendu le projet de loi en 1934, se faire le porte-parole de son parti pour parler contre le suffrage des femmes.

Contrairement à Gabrielle, Idola ne paraissait pas affectée par ces déceptions successives. «Toutes prévisibles!» déclarait-elle avec cet air indifférent qu'elle aurait eu pour commenter des résultats sportifs. Elle continuait de croire en l'efficacité des bonnes vieilles méthodes et aux vertus de la propagande. Elle travaillait avec application à la publication annuelle de *La Sphère féminine,* à laquelle son assistante n'apportait plus qu'une tiède collaboration.

Gabrielle commençait à mettre en doute l'efficacité de ces fameuses méthodes et cherchait des moyens plus concrets de réaliser leur objectif commun. De fréquentes visites au local de la Fédération lui avaient permis de rencontrer Thérèse à quelques reprises. Avec son tact habituel, celle-ci lui avait gentiment reproché de bouder les activités de la Ligue. Mais, encore une fois, Gabrielle tombait bien: Thérèse avait besoin d'une observatrice capable de prendre des notes et de rédiger de bons comptes rendus de réunions. De petites assemblées politiques avaient lieu chez elle tous les lundis soir, assemblées qui réunissaient des jeunes hommes avides de changement.

Un crayon à la main, Gabrielle se tint à l'écart et prit des notes. Elle appréciait le ton enlevé et captivant des débats, bien différents de ceux qui avaient lieu au Parlement. Pas de vulgarité ici; on discutait ferme. Plusieurs des participants avaient des idées très libérales alors que d'autres souhaitaient maintenir les traditions, mais même chez les plus modérés, on sentait un puissant besoin de faire bouger les choses.

Sachant combien Idola risquait d'en prendre ombrage, Gabrielle attendit quelque temps avant de lui parler de ces réunions. Elle allait le regretter amèrement: des âmes charitables, sans doute remplies de bonne volonté et de mauvaises intentions, se chargèrent d'aviser mademoiselle Saint-Jean que sa chère protégée avait ses entrées aux lundis de madame Casgrain.

— Vous ne semblez pas comprendre que je commence seulement à m'engager pour de vrai, Idola. Vous n'allez tout de même pas me reprocher de prendre les moyens de mon choix pour défendre notre cause? Je reconnais que j'aurais dû vous le dire moi-même, mais c'est tout ce que vous pouvez me reprocher.

— Je suppose que je n'ai pas su vous communiquer ma foi?

— Vous m'avez tout appris, Idola, et vous le savez parfaitement.

— Oui, et même l'ingratitude. L'élève veut dépasser le maître, n'est-ce pas?

— Vous savez bien que ce n'est pas l'ambition qui me pousse. J'ai surtout besoin d'aller voir ailleurs. Et puis, c'est vous-même qui avez suggéré à Thérèse l'idée de ces réunions politiques.

— Je suis contente que vous vous en souveniez. Mais je ne vous ai pas demandé de devenir son bras droit.

— Non, vous ne me l'avez pas demandé mais je ne comprends pas pourquoi vous voudriez me l'interdire!

Furieuse, Idola ne prit pas le temps de préparer sa réplique.

— Vous n'êtes qu'une opportuniste, Gabrielle, une suiveuse et une opportuniste.

Elle se tut, déjà repentante.

— Si c'est ce que vous pensez de moi, pourquoi m'avez-vous prise pour amie? Vous êtes jalouse…

À son tour, Gabrielle se mordit les lèvres. Chacune alla ruminer ensuite de son côté mais le mal était fait; leur belle amitié avait été ébranlée.

Un deuxième différend allait les opposer au sujet d'une pétition. Idola avait conçu le projet d'intéresser le roi

George V à la cause du suffrage; les femmes de la province étaient les seules citoyennes de race blanche parmi ses sujets qui étaient privées du droit de vote alors que — quelle ironie! —, un siècle plus tôt, elles avaient été les seules à l'exercer. Gabrielle eut le malheur de trouver l'idée ambitieuse; on se demande pourquoi puisque Idola réussit à recueillir une pétition de dix mille noms. Il est vrai que le plus difficile était de trouver un intermédiaire qui pourrait présenter la pétition au souverain. Bien entendu, le gouvernement de la province de Québec refusa de s'en mêler, et c'est un simple citoyen qui, en se rendant à Londres pour affaires, fut chargé de remettre le document au roi. Idola attendit en vain des nouvelles; elle ne sut jamais si la pétition était parvenue à son destinataire. C'est sur Gabrielle qu'elle déchargea ses foudres.

La déception rendait Idola injuste. Gabrielle voulait bien admettre ses torts et confesser son manque d'enthousiasme, mais pourquoi aurait-elle dû soutenir Idola dans toutes ses démarches? Ne l'avait-elle pas toujours encouragée à devenir plus critique au sujet de leurs moyens d'action?

— Pourquoi vous en prendre à moi, Idola? Pourquoi faut-il que vous soyez toujours en colère contre moi? On dirait que je vous sers d'alibi et que je ne suis utile qu'à alimenter votre hargne.

Idola demeura imperturbable. Regrettait-elle les confidences qui l'avaient montrée sous un jour plus humain? Gabrielle la trouvait plus distante depuis le jour où elle s'était révélée plus fragile, plus vulnérable qu'elle ne voulait le laisser voir.

— Vous ne comprenez donc pas que c'est cette colère qui me garde en vie? C'est ma colère et elle seule qui me permet de tenir tête au mépris...

Colère, mépris, indifférence, froideur, les mots se vidaient de leur sens. Quand donc Idola se déciderait-elle à parler de douceur et d'harmonie?

Gabrielle essaya de s'excuser mais son amie répliquait, impatientée; le ton montait. Sans trop s'en rendre compte, les deux femmes s'éloignaient l'une de l'autre, doucement, inexorablement. Sans trop s'en rendre compte, Gabrielle se détachait du port, prête à prendre le large.

22

Gabrielle fouilla machinalement ses poches en marchant; elle avait oublié ses gants, ils avaient dû glisser au moment où elle enfilait son manteau. De sa main nue, elle palpa l'enveloppe; la lettre était là et, en l'effleurant, elle eut l'impression de toucher la main d'Émile. Une bouffée de plaisir la parcourut pendant qu'elle traversait la rue; ce fut un moment intense, et elle eut le vieux réflexe de s'en méfier. Quand on n'a pas l'habitude du bonheur, on s'imagine toujours qu'il va disparaître ou se transformer subitement en catastrophe pour la seule raison qu'on ne l'a pas mérité. Et, comme dans ce rêve familier où elle perdait l'équilibre en marchant, elle se vit trébucher et tomber à la renverse, la tête projetée dans le vide, le corps aspiré dans un précipice dont elle n'avait jamais vu le fond.

La douleur se fit plus aiguë; elle sut tout de suite qu'elle ne rêvait pas. Ses souliers neufs la blessaient, aucun rêve, aussi cauchemardesque fût-il, n'aurait pu lui procurer cette sensation bien réelle de marcher dans des chaussures trop serrées. Les images destructrices qui revenaient la hanter vingt fois par jour n'étaient qu'une ruse de son imagination pour contrebalancer des moments de joie. Elle le savait, une mystérieuse entité était installée dans sa tête, une sorte de double ravageur qui faisait obstacle à ses bonnes dispositions. Pour la défier, Gabrielle toucha une autre fois l'enveloppe, lissa du plat du doigt le carré du timbre, caressa la lettre «G» que la plume d'Émile avait gravée plus profondément dans le papier. Mais le charme ne joua pas, l'enveloppe n'avait plus la douceur de la peau humaine, le papier avait la texture du papier, et cette constatation la ramena à des considérations plus pratiques.

Avant de se rendre à la gare, il lui fallait passer au bureau; elle l'avait promis à Thérèse. Elle avait un texte à rédiger, un bilan des activités de la Ligue. Sans doute pourrait-elle en profiter pour compléter la liste des résolutions qu'on allait présenter à Québec le mois prochain. Thérèse avait la ferme intention de faire inscrire le suffrage des femmes au programme du Parti libéral.

Depuis deux ans, des changements importants avaient eu lieu au sein du gouvernement, et le climat politique en subissait encore les contrecoups. La lutte contre la corruption qui avait commencé à ébranler le cabinet Taschereau avait fini par porter fruit et provoqué la démission du premier ministre. Le mandat de son remplaçant, Adélard Godbout, avait été de courte durée et, après la victoire éclatante de l'Union nationale aux élections de 1936, la confusion et la dissension s'étaient répandues parmi les libéraux. Afin de réconcilier leurs opinions et de réunir leurs forces, un congrès du parti devait avoir lieu en juin prochain. Un fait nouveau risquait toutefois de pimenter cette assemblée; grâce au travail acharné de Thérèse et à ses patientes manœuvres pour s'immiscer dans ce fief masculin, pour la première fois dans l'histoire de la province, des femmes seraient déléguées dans un congrès de parti.

Les mouvements suffragistes comptaient beaucoup sur cette participation, leur cause ayant subi plusieurs revers depuis l'arrivée au pouvoir de Maurice Duplessis. Dès le début, le nouveau premier ministre leur avait manifesté son opposition. Peu de temps après son élection, «le chef» avait convoqué une session d'urgence, et une révision de la loi électorale était à l'ordre du jour. Comme rien n'avait été prévu concernant le vote des femmes, des représentantes de la Ligue s'étaient rendues à Québec dans l'espoir de faire amender une section du projet de loi. Leur recommandation était simple: il suffirait d'éliminer le mot «mâle» dans l'article 12, ce qui aurait pour effet de mettre les deux sexes sur un pied d'égalité devant la loi électorale. Mais la proposition d'amendement fut battue, Duplessis s'y étant fortement opposé.

Le premier ministre allait par la suite s'en expliquer à Thérèse: «J'ai été dix ans en face de Taschereau, j'ai appris ses méthodes, je les ai même améliorées.» Maurice Duplessis ne s'en cachait pas, c'était surtout pour ennuyer son vieil ennemi qu'il avait apporté des amendements mineurs alors qu'il était dans l'opposition. S'il avait donné ainsi un peu d'espoir aux femmes, c'était bien involontairement, disait-il, car il était résolument opposé au principe du vote féminin. La chose était claire, les suffragistes ne pourraient pas compter sur lui.

«Cet homme est un antiféministe avoué, il est encore plus buté que Taschereau», avait commenté Émile dans une lettre. «S'il garde le pouvoir aussi longtemps que son adversaire, vous ne gagnerez jamais votre cause. Et moi, je serai condamné à vous attendre toute ma vie.» Émile avait recommencé à écrire à Gabrielle. En apprenant la mort de son père, il lui avait envoyé une lettre polie et brève dans laquelle il lui présentait ses condoléances sincères et ses salutations distinguées. Elle l'avait remercié le mois suivant, avec à peine moins de retenue, inscrivant au-dessus de sa signature un respectueux «au plaisir de vous lire encore».

Il lui avait accordé ce plaisir et en avait profité pour renouer connaissance. Et, de mois en mois, la correspondance avait repris. Sans retrouver la fougue d'antan toutefois, chacun s'y adonnant avec une consciencieuse application et une fidélité qui témoignaient de leur solitude respective. Mais dans leurs écrits, ils avaient soigneusement évité les allusions au passé, s'écrivant comme s'ils ne se connaissaient pas, misant sur cette réserve pour chasser un malaise que ni l'un ni l'autre n'osait aborder. Pas une fois Émile n'avait exprimé le désir de revoir Gabrielle... sauf dans cette dernière lettre qu'elle touchait du bout des doigts.

De nouveau elle frémit au souvenir d'Émile et se mit à marcher plus rapidement, comme si le journaliste allait se matérialiser au bout de la rue. Elle l'imagina un instant qui venait dans sa direction, se rappela sa démarche vive et cette habitude qu'il avait d'avancer à grands pas. Elle revit des détails qu'elle croyait avoir oubliés, cette façon de recoiffer ses rares cheveux en soulevant promptement son chapeau, sa manière de fumer aussi avec cette sorte de soupir heureux qu'il émettait en rejetant la fumée. C'étaient des détails comme ceux-là qui lui faisaient battre le cœur depuis quelques jours, et de ces détails Gabrielle se souvenait avec précision: et du regard ardent d'Émile et de ses lèvres et de tout son visage. Mais sans doute avait-il changé en cinq ans... Non, six, ils ne s'étaient pas revus depuis ce voyage à Québec où Idola avait été la risée de tous les députés.

Gabrielle s'arrêta brusquement et se pencha pour dénouer et renouer plus légèrement ses lacets. Le soulagement fut de courte durée: le mal était ailleurs, le rebord du soulier s'enfonçait dans la chair; la douleur revint dès que Gabrielle reprit sa marche. Elle continua néanmoins d'avancer, essayant de rattraper le fil de ses idées.

Les défaites provoquées par l'opposition de Duplessis n'avaient pas découragé les suffragistes; elles s'étaient trouvé d'autres raisons d'espérer. La campagne de souscription organisée par la Ligue ayant obtenu un franc succès, la publicité placée dans les revues et les journaux de même que celle qu'on entendait à la radio avaient mis la question du suffrage dans toutes les conversations. Mais le projet de loi continuait bien sûr d'être refusé au Parlement. Cette année encore, il avait été rejeté, et c'est avec consternation que les habituées avaient vu deux ex-parrains voter contre une proposition qu'ils avaient jadis défendue vigoureusement.

Absorbée par son projet de librairie, Gabrielle s'était contentée de suivre cet épisode de loin. L'idée de tenir un commerce avait fait son chemin depuis deux ans et, bien qu'il y eût encore des formalités à remplir et qu'elle fût officiellement vendeuse dans un magasin de vêtements pour dames, elle prévoyait l'ouverture de sa petite librairie pour l'automne. Le local ne serait pas libre avant septembre et il faudrait attendre le permis de la ville pour poursuivre les démarches d'enregistrement. Gabrielle avait eu quelques difficultés de parcours; elle avait sous-estimé la somme qu'il lui faudrait investir. D'autres incidents étaient venus contrecarrer ses plans; entre autres, le désistement de Blanche qui, après avoir manifesté un bel enthousiasme à l'idée de se lancer en affaires avec son amie d'enfance, avait dû revenir sur sa parole, faute d'avoir obtenu le consentement de son mari.

En apercevant l'enseigne de *Dupuis frères,* Gabrielle ralentit son allure. Il n'était que dix heures, elle avait largement le temps d'aller saluer Henri avant de passer au local de la Ligue. Elle poussa les lourdes portes du grand magasin et se rendit au rayon des livres et de la papeterie. Selon son habitude, le libraire paraissait absorbé dans sa lecture. Henri Chapados n'avait pas beaucoup changé depuis le jour où Gabrielle s'était présentée devant lui sur la recommandation de Marie-Mère. Les hommes vieillissent moins vite que les femmes, songea-t-elle en l'observant. Il se tenait debout, immobile et l'air si recueilli que Gabrielle préféra attendre qu'il levât les yeux, ce qu'il fit presque immédiatement, sans manifester de surprise.

Ils s'étaient vus souvent au cours de l'année dernière et plus encore depuis que Henri avait trouvé ce poste de commis. Bien remis de son opération mais encore affecté par les années de chômage qui avaient suivi la faillite de son commerce, il se disait à présent satisfait de son sort. Il n'avait aucun regret, il ne voyait pas de réel désavantage à vendre des livres qui ne lui appartenaient pas. Il lui suffisait de les manipuler pour retrouver son plaisir intact; un plaisir sensuel, disait-il sans sourire. Il aimait toucher les livres, les ouvrir et respirer leur odeur comme il aimait en décoder les messages. «J'ai la chance de vivre dans un univers qui se suffit à lui-même; je suis le témoin privilégié de ce que l'humanité peut offrir de meilleur. Je suis un homme comblé. À cinquante ans, on a davantage besoin de regarder à l'intérieur de la vie humaine que de relever des défis.»

Ce beau détachement ne l'avait pas empêché d'aider Gabrielle dans ses démarches. «Votre projet vous sert de révélateur; vous avez besoin de savoir que vous existez.» Oui, c'était peut-être ce qui la poussait à tant de témérité; il y avait quelque chose d'irraisonné dans son désir de posséder son commerce. Henri l'encourageait, la soutenait, et elle lui en était reconnaissante; c'était bon de pouvoir compter sur quelqu'un d'aussi désintéressé. L'équivoque s'était peu à peu dissipée entre eux; Henri lui faisait une cour discrète dans laquelle les paroles tenaient plus de place que les gestes. Justement, il la complimenta sur son chapeau, un feutre vieux de cinq ans dont elle avait changé le ruban pour le rajeunir.

— Vous êtes trop poli, Henri, c'est un vieux chapeau, vous avez dû le voir des centaines de fois. Vous devez bien savoir que je n'ai pas une miette de coquetterie.

Le mensonge lui brûla les joues; elle lut de l'amusement dans le regard bleu-gris et rougit de plus belle. Elle avait passé une bonne demi-heure à s'examiner dans le miroir ce matin, et une autre à choisir ce qu'elle allait porter. Manifestement, cela se voyait; Henri la fixait avec une tendre insistance.

— Vous avez le trac, Gabrielle, et cela vous va bien!

— C'est pire qu'une épreuve, dit-elle en s'appuyant sur le comptoir. Le train ne sera pas en gare avant quatre heures..., j'ai toute la journée à attendre.

Elle se redressa.

— Mais je n'attendrai pas, je travaillerai!

Sa voix s'était faite plus ferme; c'est avec l'accent d'Idola qu'elle avait parlé. Cette manière de terminer sa phrase, sèchement, comme pour se fouetter... Elle se mordit les lèvres, s'efforça de cacher son trouble, se balança sur un pied puis sur l'autre, examina les livres sur le comptoir. Henri avait allumé une cigarette et l'observait en souriant.

— Il y a un roman d'amour parmi les nouveautés, je vous fais un prix d'ami?

Il ne manquait jamais de se moquer de ces lectures légères qu'elle défendait toujours avec beaucoup de sérieux. Pas aujourd'hui...

— Non, j'ai du travail, je ne veux pas me laisser distraire.

— C'est vrai, vous êtes en train de vivre votre propre roman...

Il y avait de l'amertume dans son sourire; Gabrielle ne voulut pas s'y attarder. Elle se reprocha son égoïsme: c'était d'abord pour se rassurer qu'elle était venue voir Henri. Mais la peur était toujours là qui lui mordait le ventre.

Dehors l'air sentait la pluie. Elle se hâta, soudain pressée de se plonger dans le travail. Le bureau était désert en ce samedi matin, et c'est avec une sorte d'allégresse qu'elle s'installa devant une machine à écrire. Le patient tic-tac de l'horloge résonnait lourdement quand ses doigts cessaient de frapper les touches. Mais ses idées étaient claires; elle oublia de compter les heures et il était plus de midi quand elle s'interrompit. Elle mastiqua son sandwich, le nez dans les dossiers de Thérèse. Cette femme n'avait peur de rien; elle s'était mise en tête de gagner Adélard Godbout à la cause du suffrage des femmes, lui qui avait toujours voté contre le projet de loi. «Si nos déléguées appuient sa candidature comme chef de parti, monsieur Godbout ne pourra plus rien nous refuser. Et si monsieur Duplessis déclenche des élections et qu'il essuie une première défaite comme j'ai de bonnes raisons de le croire, nous obtiendrons ce que nous demandons depuis plus de quinze ans.»

Gabrielle prit note des résolutions que Thérèse avait inscrites: elle-même suggérait la gratuité des livres scolaires, d'autres proposaient des réformes dans le domaine de l'éducation. Elle travailla une petite heure à faire une liste des propositions, puis se remit tant bien que mal à son bilan. Démarches et défaites, c'étaient les mêmes scénarios cent fois recommencés; avec un incroyable acharnement, les femmes continuaient de réclamer leurs droits; avec un incroyable mépris, les hommes continuaient de les repousser. Moqueries ou indifférence, cela revenait au même: c'était bel et bien du mépris. L'horloge sonna deux heures; le temps ne passait plus. Incapable de se concentrer davantage, Gabrielle se résigna à partir avec deux heures d'avance, les mains moites et le cœur battant.

Elle avait peur à présent, elle ne voulait plus se rendre à la gare. En considérant son pauvre reflet dans le miroir des toilettes, elle eut envie de pleurer. Elle mit son chapeau, le retira, fit bouffer ses cheveux, scruta son visage de près, le détailla sans pitié. La peau était mate et légèrement tirée, de petits plis apparaissaient aux coins des yeux et aux commissures des lèvres; le temps avait laissé des traces. Partir, s'enfuir, échapper à cette déception qu'elle devrait lire dans les yeux d'Émile. Pendant quelques instants, elle chercha des moyens de se désister... Mais non, il était trop tard pour reculer, il fallait passer l'épreuve.

Le ciel était de son côté; il ne tomba pas de pluie. Mais le cuir de ses chaussures n'avait pas ramolli depuis le matin et elle se résigna à prendre le tramway. Sur un banc près de la porte arrière, un enfant était assis auprès de sa mère, fixant la fenêtre d'un œil terne, l'air de trouver le monde bien gris. Elle s'arrêta spontanément non loin d'eux, regardant la figure juvénile qui s'était lentement tournée vers elle. La peau était claire, le regard brun et attentif; il la regardait. Elle pensa un instant à l'image qu'elle avait vue dans le miroir, cette même image que l'enfant avait devant lui et qu'il scrutait maintenant très sérieusement comme pour y trouver quelque chose. Les yeux, vieux de cinq ou six ans, examinaient, prenaient leur temps, évaluaient peut-être, comparaient sans doute puisqu'ils se mirent à faire l'aller-retour d'un visage à l'autre, celui de sa mère et celui de Gabrielle.

Pendant un court instant, elle voulut détourner le regard devant ce juge sévère et trop partial mais elle se retint, ne lâcha pas ces yeux bruns qui s'entêtaient à rester dans les siens. Et peut-être pour se faire pardonner d'être si vieille et si triste, elle lui sourit, d'abord en signe d'excuse puis avec un plaisir qui s'accrut à mesure qu'elle voyait la surprise apparaître sur le jeune visage. Mais au lieu de lui rendre son sourire, il lui adressa une moue si comique qu'elle ne put s'empêcher d'élargir encore son sourire au risque d'avoir l'air de l'une de ces vieilles dames qui font des minauderies et qui se donnent en spectacle à tous les enfants. Il ne réagit pas immédiatement, garda son air buté et jeta un coup d'œil vers sa mère qui ne voyait rien de leur jeu. Pendant qu'il se retournait, Gabrielle s'efforça d'imiter l'air de l'enfant et, quand il la fixa de nouveau, elle lui montra à son tour un visage renfrogné. L'enfant éclata de rire, un rire reconnaissant comme s'il n'y avait rien de mieux à faire dans ce vieux tramway que d'éclater de rire. Et son rire était comme le chant d'une rivière au printemps: beau, limpide, vibrant. Gabrielle se mit à rire à son tour. Pendant quelques instants, ils se regardèrent en riant tous les deux avec dans les yeux une complicité qui les rapprochait comme des amis de longue date.

Gabrielle avait rarement vu un sourire aussi vrai; c'était, pensa-t-elle, comme un beau reflet dans un ciel clair. Mais déjà, l'enfant avait tourné la tête; la mère se levait, lui prenait la main et l'entraînait vers la sortie. Le petit garçon ne se retourna pas en marchant; il avait bien assez de se faufiler dans la forêt de jambes qui lui barrait la route. Gabrielle se dit qu'il avait déjà oublié cet épisode mais, quand le tramway repartit en grinçant, elle le vit qui marchait à côté de sa mère en cherchant la fenêtre des yeux. Brusquement son visage s'illumina, il garda la tête résolument de son côté et lui fit cadeau de son généreux sourire tout en remuant sa petite main, appelant naturellement le même geste de sa part. Elle le salua à son tour, pensive, troublée par ce petit garçon qui acceptait si facilement la fin de quelque chose d'heureux.

Elle descendit à l'arrêt suivant et décida de faire le reste du trajet à pied. Elle ne sentait plus ses chevilles quand elle entra dans la gare; le train aurait du retard, on avait changé les cartons au tableau des horaires. Avec un peu moins d'angoisse, elle se prêta à un dernier examen devant le miroir. Oui, elle avait changé; le temps avait laissé des traces, mais ces rides au coin des lèvres, ces ridules autour des yeux, c'étaient des signes de vie. Elle se sourit bravement, lissa la lettre au fond de sa poche; le papier humide lui collait aux doigts. Elle était prête.

«Nous nous reconnaîtrons», avait écrit Émile. Il avait raison, ils s'aperçurent en même temps.

23

Sous le regard d'Émile, ses peurs et ses hantises fondirent comme neige au soleil; le «vous n'avez pas changé» qu'il lui murmura en déposant sa valise ne cachait pas le moindre désappointement. Le ton était sincère et la pointe de réserve qu'elle aurait pu y déceler quand il s'excusa de la banalité de sa phrase était l'effet de la timidité; en le voyant embarrassé, Gabrielle retrouva un peu de son audace ancienne et lui sauta au cou. Ils prirent le temps de se reconnaître; quand ils sortirent dans la lumière bleutée, c'était le soir et ils avaient vingt ans de moins.

Gabrielle se moqua intérieurement de ce qui l'avait poussée à redouter cette rencontre; la réalité était beaucoup plus supportable et, pour tout dire, infiniment plus agréable que le monde imaginaire dans lequel elle se mouvait. Elle maudit sa solitude, cette cage d'angoisse et de doutes où elle étouffait depuis la mort de son père, se pressa contre la hanche d'Émile et, quand il l'entoura de son bras, se cala plus à fond au creux de son épaule.

Émile avait toujours cette allure juvénile qui lui donnait l'air d'un étudiant; Gabrielle le trouva encore plus séduisant que dans son souvenir. Il paraissait plus détendu, nettement moins soucieux depuis qu'il s'était détourné des sujets qui l'avaient passionné; la comédie parlementaire n'avait plus d'attrait pour lui, disait-il. Selon lui, le comble de la bêtise avait été atteint deux ans auparavant quand un député libéral avait voulu apporter une solution au problème du chômage en présentant un projet de loi qui interdirait aux femmes de travailler.

Gabrielle s'en souvenait, cette proposition aberrante avait tout de même récolté seize voix! Thérèse l'avait commentée avec une inhabituelle colère. Mais le vent avait tourné et, pendant quelque temps, il y avait eu pour tout le monde des raisons d'espérer. Le nouveau gouvernement n'avait hélas rien apporté de neuf; les acteurs se succédaient mais le spectacle était aussi mauvais. Exaspéré par les enfantillages du monde politique, après quelques tentatives infructueuses pour quitter le Parlement, Émile avait fini par accepter de troquer la plume contre le micro. Le changement n'avait pas été aussi radical qu'il l'aurait souhaité; il s'occupait encore de l'actualité politique, travaillait au service des nouvelles d'un petit poste de radio de Québec où il lisait et commentait les informations. C'était sans prétention mais il se disait content, et parlait de sa nouvelle carrière avec enthousiasme et respect.

La correspondance échangée au cours des derniers mois, avec la réserve que chacun y avait mise, avait laissé place à beaucoup de questions. Ils continuèrent de bavarder devant le petit hôtel où Émile avait réservé une chambre pour sa semaine de vacances. Ce premier soir, Gabrielle rentra chez elle dans un état de grande excitation. Parce qu'elle l'avait sous-estimée, la joie de ces retrouvailles lui paraissait tout à coup démesurée. Elle ne put fermer l'œil de la nuit, ressassant des pensées contradictoires. À présent rassurée sur ses sentiments pour lui, elle commença à douter de ceux d'Émile. Dans la solitude de sa chambre, des phrases revenaient la hanter; une allusion, une parole restée obscure, tout lui était prétexte à se torturer.

Les deux jours qui suivirent furent tissés du même mélange d'exaltation et de doutes, prélude à toutes les grandes aventures et à bien des histoires d'amour. Quand elle était seule, avec sa tendance à se déprécier et à broyer du noir, Gabrielle ruminait de vieilles angoisses; mais dès qu'Émile apparaissait, elle cessait d'écouter son double destructeur. À la manière d'une convalescente, elle allait se laisser porter par son désir d'aller mieux.

Ils se virent beaucoup durant cette semaine. Gabrielle finissait de travailler à cinq heures et, sitôt qu'elle s'apprêtait à quitter la boutique et prenait son manteau pour sortir, elle pouvait l'apercevoir de l'autre côté de la vitrine. Il était là à l'attendre, les mains dans les poches, l'air désinvolte du flâneur lui servant d'alibi contre l'indiscrétion des vendeuses. Ils se saluaient, d'abord avec un peu de gêne, épiés très probablement, pressés de partir pour aller n'importe où, plus à l'aise ensuite, marchant au gré de leur inspiration. Ils pouvaient marcher des heures sans se fatiguer, parfois sans rien voir de la route, attentifs à leurs conversations et à leurs silences, se retrouvant presque immanquablement au bord de l'eau, au bord de ce fleuve qui n'avait jamais cessé de les lier imperceptiblement. Ils riaient de cette drôle d'entente de leurs pas qui les conduisaient d'instinct là où ils auraient souhaité aller s'ils avaient eu d'autre souhait que celui d'être ensemble.

Le désir montait en eux, ils le sentaient ralentir leurs gestes et s'introduire dans le fil de leur bavardage; c'était un désir vif et puissant qui leur coupait la parole, les laissait muets et tremblants avec leurs seuls yeux pour se parler. Plus tard, après y avoir cédé, Gabrielle allait le comparer à un vent très fort contre lequel elle n'avait pas pu lutter. Ce serait l'ouragan qui avait couvé pendant seize ans avant de se déchaîner et dont le déferlement allait coïncider avec les autres bouleversements. Ouragan peut-être, mais point trop dévastateur si l'on en croit le journal de Gabrielle malheureusement peu bavard en ce qui concerne la fin du séjour d'Émile, séjour dont on sait qu'il fut prolongé et qui laisse tout de même supposer que le plaisir était aussi ardent d'un côté que de l'autre.

Le départ ne fut pas triste pourtant; grâce à la perspective de retrouver Émile à Québec à l'occasion du congrès du Parti libéral, Gabrielle le perçut comme une séparation nécessaire. Elle avait besoin de se retrouver seule dans cette chambre où il avait laissé un peu de son désordre. Pour la première fois depuis longtemps, sa solitude lui parut souhaitable; elle se sentait en paix avec elle-même. Dans cet état d'esprit, il ne lui fut pas difficile de s'activer au sein de la Ligue et de préparer le congrès.

Un mois plus tard, elle arrivait à Québec avec une partie de la délégation des Femmes libérales. Celles-ci n'étaient peut-être pas nombreuses — sur plus de huit cents délégués, quarante seulement étaient de sexe féminin — mais, malgré ce petit nombre, leur présence fut grandement remarquée. Elles proposaient d'inclure au programme du Parti l'uniformité et la gratuité des livres scolaires ainsi que l'enseignement obligatoire. Cette dernière demande étonna les autres délégués qui ne s'étaient guère attendus à des propositions aussi sages de la part de «ces dames». L'un d'entre eux exprima son étonnement: il ne pensait pas que les femmes étaient aussi avancées. Thérèse ne se fit pas prier pour lui répondre que les femmes n'avaient jamais eu l'occasion d'afficher publiquement leurs connaissances sur des sujets aussi importants.

Thérèse Casgrain fut certainement la plus remarquée des congressistes, jouant de tact, d'audace et d'efficacité quand il s'agit enfin de faire inscrire le vote des femmes au programme. Pour cela, il fallait encore trouver quelqu'un pour faire la proposition, et c'est parce qu'elle exprima sa volonté bien arrêtée de le faire elle-même si personne d'autre n'y consentait que son stratagème réussit. Le comité des résolutions endossa la proposition et l'assemblée générale la ratifia. Autre raison de se réjouir, c'est Adélard Godbout qui fut réélu chef du parti.

Cette double victoire avait de quoi ranimer la flamme des suffragettes; pour sa part, Gabrielle flottait littéralement. Bien que son temps fût surtout consacré aux réunions, elle trouva le moyen de voir Émile tous les jours. Après cette parenthèse printanière, il lui fut évidemment beaucoup plus difficile de rentrer et d'attendre l'automne. Selon son habitude et suivant ses bonnes dispositions, pour ne pas se laisser ébranler par les voix de la solitude, elle se replongea dans le travail, aidée en cela par son projet de librairie qui lui fournit bien des occasions de se dépenser physiquement.

Une semaine après le congrès, elle reçut une lettre d'Émile. «Si les femmes obtiennent le droit de vote, je m'installe à Montréal», avait-il écrit mi-sérieux, mi-blagueur. «C'est un encouragement que je n'oublierai pas», lui répondit Gabrielle.

24

Après l'affluence du midi, les magasins de la rue Sainte-Catherine retrouvaient un peu de calme; c'était souvent la meilleure période de la journée pour refaire le rangement. De la vitrine, Gabrielle pouvait voir l'horloge de la banque marquer deux heures. Elle alluma vite la radio et attendit. L'appareil était long à se réchauffer et, pendant deux ou trois minutes, il en sortit des sons bizarres et stridents. Enfin une voix d'homme se fit entendre: «Et maintenant, voici une nouvelle un peu plus réjouissante. On apprend que le *Queen Elizabeth* a jeté l'ancre hier dans le port de New York où il a reçu un accueil triomphal. On se rappellera que, malgré la guerre, le plus grand paquebot du monde avait quitté Liverpool le 28 février dernier. Il aura mis un peu plus de dix jours pour accomplir sa première traversée.»

Gabrielle avait raté les informations; elle ferma la radio et débrancha l'appareil. Depuis le début des hostilités en Europe, on passait toujours des nouvelles agréables en fin d'émission, comme pour faire oublier les autres. Il valait mieux en effet oublier que des hommes se battaient ailleurs; ici on ne voulait pas de guerre. Et avec ce soleil qui entrait par la porte grande ouverte, qui aurait pu croire que des gens se préparaient à s'entretuer?

Est-ce que les femmes pourront empêcher les guerres quand elles auront acquis leur droit de parole? se demanda Gabrielle en reprenant sa place sur le tabouret de bois. Adrienne lui avait posé la question avant-hier, et elle n'avait su lui répondre. Occupée à examiner les rayons du haut, elle ne vit pas Thérèse qui la fit sursauter.

Contrairement à son habitude, Thérèse Casgrain paraissait inquiète et parlait précipitamment.

— Et dire que nous étions si près du but! Mais vous ne savez pas la nouvelle? Monsieur Godbout veut démissionner, dit-elle sans autre préambule. Vous avez sans doute écouté les informations? Le cardinal Villeneuve a fait émettre un communiqué qui s'oppose fermement au vote des femmes. Il fallait s'y attendre. Le clergé est resté muet pendant tout ce temps et s'est abstenu de se prononcer; il n'avait pas pris au sérieux nos propositions reprises année après année.

— Non, les évêques ont sans doute sous-estimé la patience des femmes. Mais le résultat des élections et les rumeurs qui ont circulé au sujet des convictions du nouveau premier ministre ont dû inquiéter les autorités religieuses!

La fin de l'année 1939 avait en effet précipité les événements et marquait un tournant décisif pour les suffragistes de la province, leur fournissant des faits propres à consolider leurs espoirs. D'abord il y avait eu ces élections que Maurice Duplessis avait annoncées en catastrophe. «Le chef» avait obtenu un mandat en temps de paix et on était en temps de guerre; son mandat n'était donc plus valable. Avant qu'on ne lui clouât le bec avec cet argument, il convoqua son cabinet en secret: «D'un coup sec, ils n'auront pas le temps d'y voir clair.» Mais hélas pour lui, les libéraux étaient clairvoyants, «ils» étaient prêts et, surtout, comme la majorité des électeurs, ils étaient contre la conscription.

Naturellement, tous les mouvements féministes appuyaient résolument les libéraux. Les femmes en profitèrent pour lancer une campagne de publicité au moyen de la radio, de la presse et de lettres adressées aux différents candidats. Jamais des élections provinciales n'avaient soulevé autant d'intérêt dans le pays; jusqu'au dernier jour la bataille fit rage entre Duplessis et Godbout. C'est le libéral qui l'emporta, victoire éclatante qui renversait complètement les positions des deux partis.

Il y avait eu fête ce soir-là dans l'arrière-boutique de la *Librairie Provencher* où l'on célébrait, avec à peine une semaine de retard, la première année d'existence du petit commerce de Gabrielle. Des «anciennes» de la Fédération étaient présentes, des habituées de la rue Poupart aussi, et bien sûr les présidentes de la Ligue et de l'Alliance. C'est au cours de cette soirée, à l'instigation de Thérèse, qu'il avait été décidé que toutes les suffragettes devraient rappeler au premier ministre la promesse qu'il leur avait faite pendant le congrès. De tous les coins de la province, lettres, télégrammes et pétitions lui furent adressés. Gabrielle s'était occupée de rejoindre les trente-neuf déléguées du congrès qui conjuguèrent leurs efforts et réussirent à recueillir des centaines de signatures appuyant leur requête. Cette réalisation impressionna fort le premier ministre et, le jour mémorable du 20 février 1940, le projet de loi sur le suffrage féminin se trouva inscrit dans le discours du Trône.

La première manche avait été gagnée mais il restait encore à surmonter des difficultés d'un autre ordre. Les antisuffragistes, hommes ou femmes, fort nombreux, surtout dans les districts ruraux, qui jusque-là s'étaient contentés d'exprimer discrètement leur opposition, avaient redoublé de violence dans leurs attaques. En dépit de sa promesse faite à Thérèse, le nouveau premier ministre, soi-disant converti au suffrage des femmes, pouvait encore se défiler. Surtout s'il subissait la pression des autorités religieuses.

— C'est le discours du Trône qui les a alertés. Je m'attendais bien sûr à une manœuvre semblable de la part des évêques mais je ne pensais pas que le premier ministre y serait sensible.

— Mais a-t-il annoncé publiquement sa démission?

— Non. Pas encore. Je l'ai moi-même prié de réfléchir avant de le faire. Nous avons eu un entretien tout à l'heure mais j'ai bien peur de ne pas l'avoir convaincu.

— On dit que c'est un fervent catholique.

— Oui, et comme moi, il regrette l'attitude des dirigeants religieux. Mais dans la position délicate où il se trouve, il ne voit guère d'autre solution que celle de démissionner. J'ai épuisé tous mes arguments pour le convaincre. S'il cède à des pressions indues, ne donnera-t-il pas raison à tous ceux qui prétendent que la province est secrètement dirigée par le haut clergé?

— C'est incroyable, nous allons retourner vingt ans en arrière!

— Ce sont ses propres paroles; il est atterré.

Pendant les jours qui suivirent, Gabrielle laissa la radio ouverte. Effrayé par les menaces, Adélard Godbout refusait néanmoins de prendre une décision et demeurait silencieux. Sans le vouloir, en faisant durer le suspense, il jetait de l'huile sur le feu. Dans certains journaux, le communiqué du cardinal Villeneuve avait déclenché une campagne de presse déchaînée contre les suffragistes.

Cela poussa sans doute Adélard Godbout à réagir; après quelques jours de réflexion, le premier ministre téléphona au cardinal, lui disant que, en tant que fils soumis de l'Église, il n'avait pas l'intention de demeurer à son poste si l'obstruction contre le vote des femmes persistait. Il démissionnerait et demanderait à l'honorable T.-D. Bouchard de former un nouveau gouvernement. C'était jouer le même jeu, les opinions anticléricales de monsieur Bouchard étant bien connues des évêques. Le cardinal écouta le premier ministre, le remercia de son appel, et le lendemain, comme par enchantement, les objections violentes soulevées contre le projet de loi avaient disparu des pages des journaux.

Mais il fallait encore résister aux attaques des députés qui tentaient de faire revenir le premier ministre à une attitude «plus raisonnable». N'avait-il pas déjà changé d'idée une première fois? Adélard Godbout leur fit une réponse qu'on publia dans *Le Devoir*. «La chose peut paraître étrange, mais il y a encore des personnes qui, une fois leur parole donnée, savent la tenir.»

Moins de six mois après son élection, bravant les attaques de dernière heure, convaincu qu'il agissait selon sa conscience, Adélard Godbout présenta le projet de loi accordant aux femmes de la province de Québec le droit de vote et d'éligibilité. Cette fois, il n'y avait plus de doute, le projet serait accepté; c'était une question de temps.

C'est du fond de sa librairie que Gabrielle suivit toutes les étapes, et avec la fièvre que l'on devine. Le projet de loi fut adopté en troisième lecture, après plusieurs jours de discussions, par une majorité de soixante-sept contre neuf. C'était le commencement de la fin. Ne restait plus maintenant que la dernière épreuve, celle où il serait soumis au Conseil législatif.

25

L'atmosphère était joyeuse dans le compartiment mais on sentait chez les anciennes une réserve prudente; de temps à autre, un silence se prolongeait entre les éclats de rire. Une cinquantaine de femmes seulement s'étaient embarquées ce matin; il en manquait plusieurs parmi les habituées. Marie Gérin-Lajoie n'était pas du voyage. Soixante-treize ans de vie et presque autant d'années de lutte pour la dignité des femmes l'avaient usée.

Le train filait, avançait entre des champs de terre brune encore parsemés de neige, longeait d'interminables bandes de conifères. De rares maisons de bois gris apparaissaient de temps à autre, éclairées par un soleil rose d'avril. Gabrielle contemplait, rêveuse, des morceaux de ce pays immense et vide, petit à force d'être grand. À présent si près du but, elle sentit une légère angoisse se mêler à son impatience.

Le temps était variable; de grandes trouées de lumière succédaient à des zones d'ombre. Le train longea un ruisseau et les formes s'estompèrent soudain; une fine brume bleutée recouvrit bientôt le paysage d'où se dégageait le contour net des arbres aux bourgeons fraîchement éclos. Le train ralentit en grinçant et s'immobilisa. La secousse causa quelques remous dans le compartiment, des rires fusèrent.

— Encore un arrêt imprévu, fit Idola, impatientée.

Gabrielle ne quittait pas la fenêtre des yeux.

— Regardez comme c'est beau! Avez-vous déjà vu des couleurs plus tendres?

Le paysage s'était fait une toilette neuve pour ce dernier voyage; les arbres étaient pareils à de grands bouquets de velours.

Idola se pencha, jeta un œil froid sur le paysage brun et vert.

— J'aimais bien les contrastes de février, murmura-t-elle. Peut-être y avait-il une pointe de tristesse dans sa voix.

— On dirait que vous allez regretter nos pèlerinages. Vous n'êtes pas contente que tout soit fini...?

— Rien n'est jamais fini, Gabrielle! Ne le savez-vous pas...?

Le discours était le même, c'est le ton qui avait changé. Idola s'exprimait sans son ardeur ancienne.

— Ce n'est pas parce que nous avons gagné une bataille que nous devons crier victoire.

— Je ne suis pas de votre avis. Cette victoire est peut-être symbolique, ce n'est qu'une première étape, mais ce n'est pas une raison pour ne pas la célébrer. Il me semble que nous avons mérité un peu de répit, un peu de douceur. Une trêve. Non?

— Je ne le crois pas. Le mérite ne se mesure pas. En tout cas, il ne nous appartient pas de le mesurer; d'autres le feront pour nous.

— Vous pensez vraiment qu'on se souviendra de nos efforts?

— Je suis présomptueuse, n'est-ce pas?

— Oui, Idola, mais pire encore, je vous trouve cynique. Au lieu de vous réjouir avec les autres, vous vous inquiétez de ce qui reste à faire...

Pas de réplique cette fois de la part de celle qui avait toujours le dernier mot; Idola ne releva pas le reproche. Gabrielle attendit, mais le vacarme aurait rendu difficile la conversation; le train venait de siffler, il repartait, et le bruit servit de prétexte aux deux femmes pour se retrancher dans le silence.

Gabrielle le déplorait, Idola ne protestait plus comme avant. Leur réconciliation n'avait rien arrangé; la féministe paraissait moins maussade sans doute, mais moins enthousiaste aussi, et infiniment moins ardente. Cette passivité ne lui ressemblait pas. Depuis le début des hostilités en Europe, Idola avait perdu sa ferveur. Comme si un ressort s'était brisé en elle. Le regard tourné vers l'intérieur, pensa Gabrielle en observant le fin visage triste. Elle n'insista pas et le reste du trajet s'accomplit dans le silence.

Plusieurs délégations étaient déjà sur place. Le train s'arrêta à Québec avec une demi-heure de retard. Idola avait déjà rassemblé ses effets.

— J'espère que la présentation ne se prolongera pas après huit heures, je compte rentrer ce soir. M'accompagnerez-vous, Gabrielle?

Celle-ci se leva pour récupérer sa petite valise dans le porte-bagages et répondit en riant:

— Non, ma patronne m'a donné un congé extraordinaire. Je ne rentre que lundi.

Idola lui jeta un coup d'œil entendu.

— Les femmes sont nettement plus compréhensives que les hommes, n'est-ce pas?

Elle eut un sourire qui la rajeunit.

— Je suis heureuse que vous soyez devenue votre propre patronne. Et je suis fière aussi! Après tout, j'ai participé à vos premières tentatives.

— Oui, et je n'y serais pas arrivée sans votre aide. Ni sans celle des autres, d'ailleurs. J'ai de la chance de pouvoir compter sur Adrienne. Savez-vous ce qu'elle m'a dit en partant? «Ne reviens pas avant d'avoir un papier signé de la main d'Adélard Godbout.» Je pense qu'elle aurait aimé nous accompagner... Mais il en fallait bien une pour rester au poste.

Les passagères s'étaient rassemblées près de la sortie. Gabrielle les laissa descendre.

— Je ne suis pas au bout de mes peines; mon commerce n'est pas aussi florissant que je le voudrais. Mais j'ai confiance. Savez-vous ce qui m'a le plus aidée, Idola? C'est l'exemple de votre acharnement. Je n'ai jamais connu quelqu'un de plus buté que vous. À part mon père, bien entendu...

Les deux femmes se regardèrent sans parler avant de descendre sur le quai. Thérèse était là, au milieu d'un petit groupe, et leur fit signe d'approcher.

— Je vous en aurais voulu de ne pas être là!

Idola paraissait émue et serra longuement la main de Thérèse qui lui fit l'accolade.

— C'est beaucoup grâce à votre charme, Thérèse, je l'admets.

— C'est surtout grâce à votre persévérance et à votre audace, Idola.

Elles se félicitèrent mutuellement, mais déjà on les entraînait vers des taxis. La plupart des voyageuses portaient des vêtements et des chapeaux de couleurs claires; le coup d'œil était charmant. Émile n'était pas à la gare. Gabrielle le chercha machinalement des yeux bien qu'elle sût qu'il passerait la prendre au Parlement. Elle regretta d'avoir emporté une valise; elle se sentait embarrassée, ne savait où la poser.

La séance fut longue et particulièrement agitée entre les dix-huit conseillers réunis; certains adversaires endurcis profitèrent de l'occasion pour parler une dernière fois contre le suffrage. L'un d'entre eux soumit un projet de référendum et fut copieusement hué par les femmes rassemblées dans les galeries. Thomas Chapais, un vieil opposant, soutint que les femmes ne voulaient pas du suffrage. «Il y en a une qui s'est présentée dans Saint-Denis et elle a eu vingt-huit votes», dit-il sans s'occuper des murmures désapprobateurs. Ce fut en quelque sorte la représentation qui résumait toutes les précédentes; on ressortait les discours éculés dont s'était servi le clergé et où pointaient encore les opinions de Henri Bourassa. Et on ne manqua pas de souligner que le premier ministre avait une fâcheuse tendance à changer d'opinion.

— C'est la situation qui a changé, répondit-il, ce ne sont ni mes sentiments ni mes opinions. Je le répète, les femmes travaillent aujourd'hui comme les hommes pour gagner leur vie et elles sont astreintes aux mêmes obligations. Ayant à souffrir des inconvénients de la vie moderne avec les hommes, elles peuvent avec eux jouir des mêmes droits.

D'autres conseillers vinrent l'appuyer et les arguments en faveur du projet pesèrent de tout leur poids dans la balance: le projet de loi fut adopté par treize voix contre cinq.

Adélard Godbout, dans un geste galant, fit immédiatement sanctionner la loi, et l'assentiment royal fut aussitôt donné par le lieutenant-gouverneur. Vers six heures, le 25 avril 1940, celles qui avaient tant et si longtemps milité pour le suffrage des femmes eurent le plaisir d'entendre la formule *le roi le veult* qui validait la mesure adoptée par les deux chambres.

Après la cérémonie, des députés vinrent rejoindre les femmes qui bavardaient entre elles tout en buvant des cocktails. Mais comme si elles avaient encore à redouter les attaques, elles restèrent ensemble, souriantes mais sur leurs gardes. Elles le savaient, il leur restait une autre étape à franchir et c'était la plus délicate: celle de se faire accepter.

— Alors mesdames, c'en est donc fini de vos visites à Québec...? Dommage, nous attendions toujours ce moment avec plaisir. C'était un peu comme si vous nous annonciez le printemps!

— Moi, je ne trouve pas, on voyait toujours les mêmes figures d'année en année.

— C'est vrai. Les femmes trouvaient toujours moyen d'arriver au moment du carême. Comme pour nous faire faire pénitence!

— En tout cas, ça sentira un peu moins le parfum.

Maurice Duplessis venait de parler; c'est le lieutenant-gouverneur qui répliqua:

— Attention, monsieur le chef de l'opposition, ce n'est pas seulement le droit de voter que les femmes ont obtenu aujourd'hui, c'est aussi celui de l'éligibilité. Dorénavant, elles pourront s'asseoir en bas.

— Ah ça! On verra! Elles ont bien d'autres choses à faire...

Adélard Godbout prit la parole à son tour.

— De toute manière, mesdames, à la prochaine élection, mon sort sera entre vos mains. J'espère que je n'aurai pas à regretter ce que j'ai fait aujourd'hui.

Thérèse Casgrain voulut répliquer mais Maurice Duplessis fut plus rapide.

— Attention, mon cher Godbout, elles pourraient sans doute se servir de leur droit de vote mieux que les hommes.

Les deux chefs se fixèrent sans parler.

— C'est un grand moment que nous vivons, fit le lieutenant-gouverneur qui sentait le besoin de dire quelque chose...

Il y eut un silence, les femmes s'étant contentées d'écouter les commentaires en souriant. Leur plus farouche adversaire, Thomas Chapais, celui qui avait fait allusion à la défaite d'Idola aux élections et qui ne manquait jamais d'intervenir, ajouta, moqueur:

— En tout cas, il faut espérer que, avant que les femmes deviennent membres du Conseil, une nouvelle mode de chapeaux soit adoptée.

De gros rires gras se firent entendre. Idola réagit aussitôt:

— À votre place, je me méfierais moins des chapeaux que de ce que les femmes ont dans la tête...

Elle regarda Gabrielle qui venait de jeter un coup d'œil complice à Thérèse. Alors, toutes les trois, sans s'être davantage concertées, dans un même mouvement déterminé mais gracieux, déposèrent leur verre et retirèrent leur chapeau. Toutes les spectatrices présentes restèrent un moment interdites, puis, après cette courte hésitation, en se lançant des sourires entendus, elles se mirent, les unes après les autres, à ôter leur chapeau.

Ce fut comme si un vent de détente avait soufflé; l'atmosphère se fit plus chaleureuse. Mais déjà Idola serrait des mains et s'apprêtait à partir.

— N'oubliez pas, Gabrielle, quand une lutte est terminée, une autre commence...

— Oui, je vois à quoi vous faisiez allusion tout à l'heure. Tout est toujours à recommencer, n'est-ce pas?

Elle eut un petit sourire triste, serra la main d'Idola, mais son visage s'illumina brusquement; elle venait d'apercevoir Émile qui s'approchait.

Quelques notes historiques

La *Fédération nationale Saint-Jean-Baptiste,* une aile féminine de la *Société Saint-Jean-Baptiste*, regroupait des militantes désireuses de travailler à l'amélioration des conditions de vie des familles canadiennes-françaises. Fondée en 1907 par Caroline Béique et Marie Gérin-Lajoie, l'organisation publia jusqu'en 1958 un bulletin mensuel, *La Bonne Parole*.

Le *Comité provincial pour le suffrage féminin* fut fondé en 1921 et eut pour premières présidentes mesdames Walter Lyman et Marie Gérin-Lajoie. Il regroupait des femmes de langue anglaise et de langue française qui désiraient participer à une campagne d'éducation: elles voulaient faire comprendre à la population et en particulier au corps législatif que les femmes ne revendiquaient pas le droit de vote pour changer leur sphère d'action à elles, mais plutôt pour élever le niveau social de la province en général.

L'*Alliance canadienne pour le vote des femmes du Québec* fut fondée en 1927 par Idola Saint-Jean. Celle-ci, l'une des premières à mener le combat en faveur du suffrage des femmes, s'était séparée du *Comité provincial* qu'elle accusait de ne pas être assez actif et d'être trop éloigné des «classes laborieuses».

La *Ligue des droits de la femme* fut la nouvelle appellation du *Comité provincial pour le suffrage féminin*, rebaptisé en 1928 par sa nouvelle présidente, madame Thérèse Casgrain.

Marie Gérin-Lajoie, née Lacoste (1867-1945), fut l'initiatrice de plusieurs associations de femmes québécoises. Elle consacra de nombreuses années de sa vie à améliorer le statut légal des femmes mariées, écrivit un *Traité de droit usuel,* travailla pour la réforme du Code civil, pour le syndicalisme féminin et pour la laïcisation des services sociaux au Québec. Sa fille Marie (1896-1971) fut la fondatrice de l'institut Notre-Dame-du-Bon-Conseil.

Thérèse Casgrain (1896-1981) fut l'une des plus ardentes féministes du siècle. En plus de lutter pour l'obtention du droit de vote des femmes, pour l'amélioration du statut juridique des Québécoises et pour leur accès aux professions, elle s'engagea dans de nombreuses autres causes touchant la consommation, l'éducation des adultes et les libertés civiles. Fille et épouse de politiciens en vue, elle se présenta à plusieurs reprises comme candidate du parti CCF mais ne fut jamais élue. Elle fut néanmoins nommée au Sénat canadien en 1970.

Idola Saint-Jean (1880-1945) se distingua de l'ensemble des féministes des années vingt par son radicalisme et par l'audace de ses idées. Très critiquée de son vivant, elle allait être mieux appréciée avec le recul des années. Comme le soulignèrent ses amis qui lui consacrèrent le dernier numéro de sa revue annuelle *La Sphère féminine,* «elle a fait plus de bien à la société que le public ne le saura jamais».

Achevé d'imprimer au Canada
Imprimerie Gagné Ltée Louiseville